# SORTIE DE SECOURS

**Catalogage avant publication de Bibliothèque et Archives nationales du Québec et Bibliothèque et Archives Canada**

De Repentigny, Myriam, 1975-, auteur

Sortie de secours / Myriam de Repentigny.

(Collection Tabou ; 43)
Public cible : Pour les jeunes de 14 ans et plus.
Publié en formats imprimé(s) et électronique(s).

ISBN 978-2-89662-871-1
ISBN 978-2-89662-872-8 (PDF)
ISBN 978-2-89662-873-5 (EPUB)

I. Titre. II. Collection : Tabou ; 43.

PS8607.E718S67 2018 jC843'.6 C2018-940648-8
PS9607.E718S67 2018 C2018-940649-6

***Édition***
Les Éditions de Mortagne
Case postale 116
Boucherville (Québec)
J4B 5E6
editionsdemortagne.com



***Dépôt légal***
Bibliothèque et Archives Canada
Bibliothèque et Archives nationales du Québec
Bibliothèque nationale de France
3e trimestre 2018

1 2 3 4 5 – 18 – 22 21 20 19 18

Imprimé au Canada

Gouvernement du Québec – Programme de crédit d'impôt pour l'édition de livres – Gestion SODEC.

Membre de l'Association nationale des éditeurs de livres (ANEL)

Myriam de Repentigny

# SORTIE DE SECOURS

*À mon beau cowboy*

# Sommaire

# PREMIÈRE PARTIE

# - 1 -

***Lundi 5 septembre, 18 h 42***

Je reprends pour la troisième fois la *Sonate n° 8* de Beethoven, aussi dite *Sonate Pathétique*. Ma mère, assise sur une chaise près du piano, observe mes doigts qui glissent sur les touches. Je n'ai pas besoin de tourner la tête vers elle pour savoir qu'elle n'est pas satisfaite de ma performance, que tout à l'heure, au souper, elle m'ignorera ostensiblement, exprimant ainsi son mécontentement. Ça fait maintenant dix ans que je joue du piano, m'exerçant à la maison au moins une heure pratiquement tous les jours, et je crois bien que je pourrais compter sur les doigts d'une seule main les moments où ma mère m'a félicitée, souri ou ne serait-ce que regardée avec un soupçon de fierté après une répétition ou une prestation en public. Dans sa jeunesse, elle jouait, elle aussi. Et, au dire de mes grands-parents, elle était très douée. Mais un jour, subitement, elle a tout arrêté. Elle n'a jamais voulu nous révéler pourquoi.

Déconcentrée par mes pensées moroses, je perds mes repères et, du coup, je sabote littéralement la fin de la pièce. Sans attendre que j'aie joué les dernières notes, ma mère se lève en repoussant brusquement sa chaise et se rend à la cuisine, où je l'entends malmener les casseroles. Voilà, je pense que je suis mûre pour une bonne séance de bouderie. Visiblement, il n'y a pas que les sonates qui sont pathétiques...

*  *
*

Après un souper pris dans une ambiance glaciale, entre ma mère qui, emmurée dans son silence, s'évertue à m'ignorer et mon père qui, après quelques tentatives de blagues, décide lui aussi de se taire, j'ai droit au traditionnel sermon, celui qui suit mes plus catastrophiques répétitions.

Ne perdant pas de temps, ma mère commence à crier dès qu'elle met le pied dans ma chambre.

– Raphaëlle Dumas-Leclair, comment penses-tu réussir ton audition si tu sais même pas jouer du piano ?

Je voudrais bien répondre à ma mère, comme les autres adolescents de mon âge. Pourtant, je baisse les yeux, rougissante et envahie malgré moi par la honte. Cette audition dont elle parle a pour but de me faire entrer, l'an prochain, à l'école de musique Vincent-d'Indy. Évidemment, l'établissement n'accepte que les meilleurs élèves, tant sur le plan scolaire que musical. Et moi, pour l'instant, je suis plutôt moyenne sur les deux.

## SORTIE DE SECOURS

– Quand tu auras fini tes devoirs, tu me reprendras cette sonate ! ajoute-t-elle avant de tourner les talons et de sortir.

De nouveau seule, je pousse un long soupir de découragement. Après mes devoirs, j'avais prévu écouter un peu de musique et regarder quelques vidéos sur YouTube, mais je crois bien que ce ne sera pas possible. En plus, demain soir, j'ai mon cours de ballet, mercredi soir, mon rendez-vous hebdomadaire avec mon tuteur de maths puis, jeudi, ma leçon de piano... Heureusement que vendredi, c'est « soirée libre » pour tout le monde ! Ainsi, non seulement j'ai congé de répétition de piano, mais j'ai aussi le droit de sortir avec mes amis, de m'écraser sur le sofa du sous-sol pour écouter un film en mangeant des chips ou, encore, d'inviter Élise à venir dormir à la maison. Élise, en passant, c'est ma voisine et meilleure amie depuis la garderie.

Ce vendredi, justement, elle, moi et tous les membres de notre petite gang sommes invités à un party. Un vrai party chez un ami d'Élise qui vit avec son frère et deux autres colocataires à Montréal, dans un grand appartement du quartier Centre-Sud. J'ai hâte et, en même temps, ça me stresse. Bref, je suis super fébrile ! La semaine risque d'être longue... Sauf qu'avec tout ce que j'ai à mon agenda, je ne la verrai pas passer, comme d'habitude.

Avant de commencer mon devoir de français, je prends deux minutes pour envoyer un texto à Élise.

Trop hâte à vendredi !!! Mais, pour l'instant, ma mère capote. Je dois retourner répéter mon piano. Écœurée. ☹

Une minute plus tard, mon amie me répond.

Moi aussi, j'ai hâte ! Poche pour ta mère ! Bon courage ! On se voit demain à l'école. Je te fais un gros câlin. xxx

Je soupire encore et me mets à mon devoir de français. Trente minutes plus tard, je referme mon cahier, le range dans mon sac d'école et descends au rez-de-chaussée, répéter de nouveau la *Sonate Pathétique*.

***Mardi 6 septembre, 12 h 09***

La tête vide et l'estomac dans les talons, je m'empresse de me rendre à la cafétéria, où m'attendent déjà mes amies.

– Salut ! me lance Chloé. Pis, ton examen d'anglais ?

Pour toute réponse, je tourne mon pouce droit vers le bas. Depuis le primaire, l'anglais est sans contredit la matière que je déteste le plus. Pour réussir aux examens, je dois toujours étudier deux fois plus fort que les autres. D'habitude, je m'en tire plutôt bien, même si mes résultats dans cette matière ne satisfont que rarement mes parents. Mais, cette fois-ci, je serais surprise d'obtenir une note supérieure à 65 %... Il faut dire que je ne suis pas chanceuse, car, pour ma dernière année au secondaire, j'ai le prof d'anglais le plus exigeant du monde. La preuve : une semaine à peine après la rentrée scolaire, il nous a déjà fait passer un examen. Et il a annoncé que ce serait comme ça chaque semaine ! Sérieusement, avec mon piano, le ballet et mes autres matières scolaires, je me demande comment je vais tenir le coup jusqu'en juin !

– Ben voyons, Raph ! s'exclame Isabelle. C'est sûrement pas si pire que ça !

Je hausse les épaules tout en prenant une bouchée de mon sandwich. Il est trop tard pour mieux faire, de toute façon.

De l'autre côté de la table, Thomas me décoche un clin d'œil. Thomas et moi sommes amis depuis la troisième année du primaire. Tout comme moi, il suit des cours de piano depuis l'âge de six ans et va passer l'audition à Vincent-d'Indy en mars prochain. Cependant, pour l'avoir entendu jouer à plusieurs reprises, je peux vous garantir qu'il est bien meilleur que moi. L'espace d'un instant, je songe que ma mère serait sûrement plus heureuse de l'avoir comme fils que de m'avoir comme fille...

Une fois Thomas et Pedro partis à leur entraînement de soccer, nous discutons du fameux party auquel toute notre petite gang est conviée ce vendredi.

– Ça va être vraiment *chill,* lance Élise avec enthousiasme. Il paraît qu'il y a une terrasse sur le toit, pis Max m'a dit que son frère avait invité plein d'amis du cégep !

– Cool ! Des beaux amis, j'espère, badine Chloé.

– Calme-toi un peu le pompon, là, Chlo, tu viens juste de casser avec Christophe ! lui fait remarquer Isabelle.

– Ben justement, je suis célibataire, maintenant !

Isabelle est la plus sérieuse de nous quatre. Au début de l'année scolaire, elle a commencé à sortir avec Pedro. C'est son premier chum, mais, bien qu'ils n'aient tous les deux que seize ans, elle affirme avec certitude qu'ils seront ensemble pour le reste de leur vie. D'ailleurs, ils ont déjà commencé à planifier leurs fiançailles... Personnellement, je n'ai eu qu'un chum jusqu'à maintenant et notre relation a duré cinq mois. C'était le fun le temps que ça a fonctionné – et je l'aimais, bien sûr –, mais pas au point de m'imaginer sortir avec lui pour le reste de ma vie.

– Je suis pas sûre que Pedro va pouvoir venir, nous apprend justement Isabelle. Ses parents ont prévu se rendre au chalet, cette fin de semaine.

– Et il est obligé de les accompagner ? demande Élise. Il me semble qu'on est plus des bébés, pour suivre nos parents partout.

– Je sais, souffle-t-elle, l'air dépité. En plus, s'il part vendredi, je le verrai pas de la fin de semaine...

– Et Thomas ? Il a l'intention de venir, lui, j'espère ? que je lance.

– Ouin, on a besoin d'au moins un garde du corps, ajoute Élise à la blague.

– Je sais pas, répond Chloé. Ç'a pas tellement l'air de lui tenter...

– Au pire, ça nous fera une sortie entre filles ! dis-je d'un ton joyeux tout en me levant.

– Où tu vas ? me questionne Élise.

– J'ai une récup en maths, l'informé-je en grimaçant. À tantôt, les filles !

***18 h 45***

En plein milieu de la séance d'étirements à la barre, madame Lacombe, la prof de ballet, me fait discrètement signe de venir la rejoindre. Tout en donnant aux autres élèves la consigne de poursuivre les exercices, elle m'entraîne dans son bureau et referme la porte derrière elle.

– Qu'est-ce qui se passe avec toi, Raphaëlle ? me demande-t-elle d'emblée. Je ne te sens pas du tout concentrée, en ce moment.

Prise au dépourvu, je baisse les yeux, rouge de honte. C'est vrai que j'ai passablement la tête ailleurs. Cependant, je ne croyais pas que madame Lacombe l'avait remarqué. Tandis que, fixant toujours le plancher, je cherche quelque chose d'intelligent à dire, elle encadre doucement mon visage de ses mains et relève ma tête, me forçant par le fait même à la regarder dans les yeux.

– Laisse-moi deviner, reprend-elle alors que ses pupilles semblent plonger directement au fond de mon âme. Tu as beaucoup de pression, par les temps qui courent, n'est-ce pas ?

À peine a-t-elle fini de parler que mon menton se met à trembler, signe annonciateur d'une crise de larmes. Non ! Je ne veux pas pleurer, pas devant madame Lacombe, si digne et si élégante ! Sentant mon trouble, cette dernière me fait asseoir sur une chaise.

– Prends cinq minutes, d'accord ? Après, tu viendras nous rejoindre, chuchote-t-elle en sortant du bureau.

En temps normal, je ne suis pas du genre à me plaindre ou à pleurnicher pour un rien. Mais aujourd'hui fait de toute évidence exception à la règle, car, dès que la porte se referme derrière elle, je perds tout contrôle de moi-même et j'éclate en sanglots. Je passe un bon moment ainsi, la tête penchée vers l'avant, le visage caché derrière mes mains, les épaules secouées de soubresauts, à verser ce qui me paraît être un inépuisable torrent de larmes.

# SORTIE DE SECOURS

Après m'être calmée et avoir passé un peu d'eau froide sur mes paupières rougies, je retourne auprès des autres élèves. Toutes se retournent vers moi, l'air interrogateur, mais madame Lacombe, mine de rien, les rappelle à l'ordre.

– OK, les filles, prenez place, on va répéter la première partie de la chorégraphie, annonce-t-elle en tapant dans ses mains. Le festival commence dans trois semaines, alors on n'a pas de temps à perdre ! ajoute-t-elle tandis que nous nous dispersons dans le vaste studio.

Pendant le reste du cours, nous peaufinons la chorégraphie d'ouverture du spectacle que nous présenterons à la fin du mois, lors d'un festival où danseront des troupes de partout dans le monde. Je me sens étrangement calme malgré la boule qui me serre toujours la gorge. Je m'efforce d'effectuer tous mes mouvements avec l'ampleur et la grâce d'une grande ballerine. Non pas que j'aspire à en devenir une – bien que j'aime la danse, je ne souhaite pas en faire une carrière –, mais plutôt pour prouver à madame Lacombe que je suis forte et que, le jour du spectacle, elle pourra compter sur moi.

Après la classe, ma professeure me fait de nouveau signe de venir la rejoindre.

– Tu peux rester ? me demande-t-elle. J'aimerais qu'on revienne sur ce qui s'est passé tantôt.

Comme si j'avais perdu la voix, je me contente de hocher affirmativement la tête. De toute façon, je suppose que je n'ai pas vraiment le choix... Tandis qu'elle salue les autres élèves qui, tour à tour, quittent le local, je respire profondément, tentant de me calmer et de chasser les larmes qui, déjà, me remontent aux yeux.

Lorsque tout le monde est parti, elle me rejoint. Nous nous assoyons par terre, face à face. Madame Lacombe est d'une grande beauté. Mince et musclée, elle a dansé, il y a quelques décennies, sur les scènes les plus prestigieuses du monde. De plus, malgré son air hautain et son sens exacerbé de la discipline, elle est des plus chaleureuses.

– Je ne te l'ai jamais dit, Raphaëlle, mais, parmi tous les élèves auxquels j'ai enseigné, tu es celle qui me fait le plus penser à moi lorsque j'étais jeune, me confie-t-elle avec un sourire. Tout comme toi, j'étais à la fois sérieuse et passionnée, un peu dans la lune, mais toujours désireuse de réussir. Il faut préciser que mes parents insistaient beaucoup là-dessus : la réussite, la performance, tu vois ?

Je songe aussitôt à ma mère, à son air fermé lorsque je joue du piano, à ses sourcils froncés lorsqu'elle regarde mon bulletin, aux félicitations et aux mots doux qui ne viennent jamais.

De nouveau, je me contente de hocher la tête, de peur que ma voix ne trahisse mes émotions.

– Ce que je voulais que tu saches, poursuit-elle, c'est que tu n'as pas besoin d'être parfaite pour réussir. Réussir ta vie, on s'entend... Car, à trop chercher la perfection, on s'oublie soi-même. Ça, je l'ai appris à mes dépens...

– Oui, je comprends. C'est juste que ma mère...

Je m'interromps, soudainement mal à l'aise. Je voudrais bien me confier à madame Lacombe, mais, en même temps, comme elle connaît mes parents, cela me paraît un peu trop risqué. Et puis, si je ne me dépêche pas de filer, j'aurai droit, en rentrant, à un interrogatoire en règle.

– Je m'excuse, mais il faut vraiment que j'y aille, maintenant, lancé-je en me levant.

Ma professeure se redresse à son tour. Elle s'approche de moi, me sourit.

– Bien sûr. On se revoit mardi prochain, de toute façon.

Contre toute attente, elle me prend dans ses bras, me serre contre elle. Mal à l'aise malgré la douceur de son étreinte, je lutte de nouveau de toutes mes forces pour retenir mes larmes.

***Mercredi 7 septembre, 17 h 22***

Assise sur le balcon, je révise distraitement mes notes de cours de français tout en croquant des bâtonnets de carotte. L'automne approche, mais, en ce moment, c'est pratiquement la canicule.

– Hé, Raph ! m'interpelle mon père, qui vient de sortir du garage avec son vélo tout neuf. On va faire un tour ?

Je soupire. Si ma mère a mon horaire tatoué à la minute près quelque part dans son cerveau, mon père, lui, visiblement, me voit toujours comme une petite fille insouciante qui a tout son temps pour flâner et s'amuser.

– Ça me tenterait, papa, mais y a mon tuteur qui s'en vient...

– Ah oui, c'est vrai... Après le souper, alors ?

Je me demande dans quel monde il vit. Je vois mon tuteur chaque mercredi à dix-sept heures trente, et ce, pratiquement depuis le début de ma troisième secondaire. Ce qui fait que le mercredi, je dois répéter mon piano après le souper.

– Ah... ton piano, marmonne-t-il justement comme pour lui-même avant de me tourner le dos pour ajuster sa selle.

Voyant qu'il a compris, je me replonge dans mes notes. Quelques secondes plus tard, il s'avance vers moi, les yeux brillants.

– Et si on laissait tomber le piano, pour une fois ? Ton audition est juste dans six mois, après tout. Et puis, t'as l'air stressée, en ce moment. Ça te ferait du bien, une petite balade au grand air.

# SORTIE DE SECOURS

Hum... Je suis loin d'être certaine que ma mère sera de son avis. Sans même me laisser le temps d'ouvrir la bouche, il monte l'escalier et se précipite vers la porte d'entrée.

– Je vais parler à ta mère. Je reviens dans deux minutes avec ta permission spéciale ! lance-t-il avec enthousiasme.

Mon père est un éternel optimiste. S'il croit que ma mère dérogera à son horaire (à MON horaire, plutôt), c'est qu'il la connaît bien mal...

Comme je l'avais prévu, il réapparaît dépité.

– Ta mère dit qu'il est pas question que..., commence-t-il.

– C'est beau, papa, j'ai compris, l'arrêté-je tout en regardant la petite Honda de mon tuteur se garer derrière la voiture de ma mère. On va se reprendre, de toute façon.

Jean-Sébastien, d'un pas souple, se dirige vers nous.

– Bonjour, monsieur Leclair, prononce-t-il en tendant la main à mon père.

– Salut, jeune homme, répond chaleureusement ce dernier. Ça va, tes études ?

Tandis qu'ils discutent, je referme mon cahier et ramasse mes crayons. Jean-Sébastien a vingt-trois ans et il est inscrit au baccalauréat en mathématiques. C'est un véritable intellectuel, pour ne pas dire un *nerd*. Par ailleurs, même s'il n'est pas mon genre, je dois admettre qu'avec ses cheveux bruns coupés en brosse et ses petites lunettes rondes, il est assez beau garçon. Je suis certaine qu'il plairait à Chloé...

J'entre dans la maison, Jean-Sébastien sur les talons. Comme d'habitude, nous nous installons dans la salle à manger. Ma mère vient nous y rejoindre et, après avoir salué celui qui, croit-elle, peut m'aider à obtenir des 90 % en maths, dépose un pichet d'eau citronnée sur la table. Elle en profite pour y aller de ses recommandations.

– C'est la dernière année du secondaire et Raphaëlle doit absolument améliorer ses notes. J'aimerais donc que tu mettes les bouchées doubles pour les prochains mois, exige-t-elle en s'adressant à mon tuteur, mais en ne manquant pas de me servir un avertissement du regard.

– Bien sûr, madame Dumas, répond poliment Jean-Sébastien en rougissant, visiblement intimidé par le ton sec et sans équivoque de ma mère.

Alors que cette dernière referme derrière elle la porte de la salle à manger, je sors mes affaires de maths de mon sac, prête à « mettre les bouchées doubles ». Je voudrais bien dire à Jean-Sébastien de ne pas s'en faire, que ma mère est toujours comme ça, mais, telle que je la connais, elle est certainement en train d'écouter à la porte, en ce moment...

# SORTIE DE SECOURS

**21 h 18**

Plusieurs heures plus tard, après avoir soupé, répété mon piano et fait mes devoirs, je m'écroule sur mon lit, épuisée. J'ouvre mon roman dans le but d'en lire quelques pages avant d'aller faire ma toilette, mais, après deux paragraphes, je pique du nez. Un peu avant minuit, je me réveille en sursaut, tout habillée, la lampe encore allumée ; dans la chambre voisine, mes parents se chicanent. Je colle l'oreille contre le mur afin de saisir des bribes de leur conversation.

– Elle a seize ans. Laisse-la donc vivre un peu ! lance mon père.

– J'ai pas envie qu'elle devienne une ratée comme...

– Comme qui ? Comme moi, c'est ça ? rétorque-t-il avec une rage contenue.

– J'ai pas dit ça ! se défend ma mère alors qu'il claque la porte de la chambre.

Je m'effondre de nouveau sur mon lit, le cœur battant la chamade. Je l'entends sortir de la maison, puis, dans la nuit noire, je perçois le bruit de sa voiture qui s'éloigne. Même si j'ai l'habitude de ces disputes qui, invariablement, se terminent par son départ abrupt (et son retour quelques heures plus tard), je suis inquiète. Il me semble que, depuis quelques mois, rien ne va plus entre mes parents. Ils passent leur temps à se quereller et il arrive de plus en plus souvent à mon père, qui est pourtant d'un calme légendaire, de hausser le ton et de claquer la porte pour aller retrouver son calme je ne sais où. Et si, cette fois, il ne revenait pas ? S'il décidait qu'il en a assez de ma mère et de sa propension à vouloir contrôler la vie de tout un chacun ? Je me retrouverais seule avec elle, sans plus personne pour me faire rire et pour prendre ma défense. De peur de croiser ma mère dans le couloir, je décide de ne pas me rendre à la salle de bain pour me brosser les dents. Je me contente de me déshabiller et d'éteindre ma lampe en souhaitant ardemment que mon père revienne au plus vite.

### *Jeudi 8 septembre, 10 h 24*

L'exercice consiste à lire un texte de deux pages et à répondre ensuite à plusieurs questions à développement. En soi, ce n'est pas si compliqué □ surtout que le français est ma matière la plus forte □, mais le problème, c'est que, même après avoir lu trois fois le texte, je n'y comprends toujours rien. Il faut dire que, ce matin, j'ai eu la très désagréable surprise de déjeuner en tête à tête avec ma mère, mon père n'étant toujours pas rentré.

– Sais-tu où est papa ? lui ai-je demandé.

– Non, a-t-elle répondu sèchement avant de sortir de table.

Profitant du fait qu'elle était à la salle de bain, je suis ensuite montée dans ma chambre et j'ai téléphoné à l'école primaire, où mon père enseigne les arts plastiques.

– Monsieur Leclair n'est pas encore arrivé. Puis-je prendre le message ? m'a aimablement proposé la secrétaire.

– Euh... non, merci. Je rappellerai plus tard, ai-je soufflé avant de raccrocher.

Déçue de ne pas avoir pu parler à mon père avant le début des classes, je me suis habillée en me disant que j'essaierais de le joindre de nouveau durant mon heure de dîner.

***11 h 32***

Une fois le cours de français terminé, je m'empresse de me rendre aux toilettes, où je m'enferme dans un cabinet. Je sors de mon sac mon téléphone cellulaire, que j'ai exceptionnellement apporté à l'école aujourd'hui.

– Monsieur Leclair est sorti pour le lunch, m'apprend cette fois-ci la secrétaire.

Zut ! Je l'ai encore manqué ! S'il n'était pas si réfractaire aux nouvelles technologies, mon père aurait un téléphone cellulaire comme tout le monde et je n'aurais pas à me donner tant de mal pour communiquer avec lui. L'espace d'un instant, mon inquiétude fait place à la colère. Je lui en veux d'être parti, d'être injoignable, de me mettre dans un tel état alors que j'ai besoin de toute ma concentration pour assimiler la matière qu'on m'enseigne. En même temps, je le comprends de chercher à fuir ma mère et ses multiples tentacules.

Je sors du cabinet et vais rejoindre mes amis dans la cour. Autour d'une table de pique-nique, ils discutent avec animation. Je m'installe discrètement près d'Élise et ouvre ma boîte à lunch.

– Ça va ? me demande-t-elle à voix basse. Tu as parlé à ton père ?

Je lui fais signe que non puis, voyant que les autres nous regardent, j'affiche une mine réjouie. Même si je me sens très proche d'eux, je n'ai pas envie qu'ils sachent que, encore une fois, mes parents se sont chicanés, mais que, ce coup-ci, ça semble vraiment sérieux.

– Alors, Pedro, tu peux venir ou pas, au party demain ? que je m'informe.

– Non. C'est justement ce que j'étais en train de dire à tout le monde.

– Ah ! C'est plate, ça ! Et toi, Tom ?

– Ça me tente pas particulièrement de passer la soirée avec une gang de pouilleux, mais, si tu insistes..., prononce-t-il en me fixant d'une étrange façon.

Ne m'attendant pas à une telle réponse de sa part, je rougis. Thomas est en train de me *cruiser* ou quoi ? Cela me paraît impossible, étant donné que ça fait presque dix ans que nous sommes amis. Sauf que, malgré le peu d'expérience que je possède en la matière, il me semble que son regard, tout comme le ton de sa voix, était sans équivoque.

Heureusement, Élise, de toute évidence sans le savoir, vient à ma rescousse.

– Ben voyons donc, pourquoi tu dis ça ? Max pis sa gang sont loin d'être des pouilleux, franchement !

– C'était juste une joke ! Pogne pas les nerfs ! rétorque Thomas tout en se remettant à me contempler d'un drôle d'air.

Élise hausse les épaules en soupirant tandis qu'un indicible malaise s'installe à notre table. Pour ma part, le nez dans mon thermos, j'ai l'impression de ne plus rien comprendre aux gens qui m'entourent. Mon père, puis maintenant Thomas, pourtant toujours si gentil, qui me dévisage étrangement, comme si les jeux innocents de notre enfance n'étaient désormais plus pour lui qu'un vague et lointain souvenir...

***16 h***

En sortant du gymnase, je croise Thomas qui se dirige d'un pas pressé vers les cases.

– Tom ! Attends-moi ! lancé-je en lui emboîtant le pas.

Il ralentit un peu la cadence, me jette un regard un brin distant, bien différent de ceux qu'il m'a servis à l'heure du dîner. Décidément, il n'est pas facile à suivre, aujourd'hui ! Je cherche quelque chose à dire, une formule magique qui dissiperait l'inconfort.

– Et ton piano, euh... ça va, ton piano ? que je demande stupidement.

– Pourquoi tu veux savoir ça ?

– Ben, euh... à cause de l'audition qui s'en vient. Moi, en tout cas, je me sens pas vraiment prête.

– L'audition est que dans six mois, Raphaëlle, lâche-t-il en soupirant. Tu as encore du temps en masse pour te préparer !

Je me laisse tomber sur un banc et observe Thomas alors qu'il prend ses affaires dans sa case. Je pense que c'est la première fois, depuis que je le connais, que je me sens mal à l'aise avec lui. Rassemblant mon courage, et refusant de me poser en victime – comme j'ai l'habitude de le faire –, je formule la question qui me brûle les lèvres.

– Tom, il y a quelque chose qui va pas ? J'ai l'impression que je te tape sur les nerfs.

Lentement, il se retourne vers moi. Ses grands yeux bruns ont retrouvé leur douceur habituelle. Déjà, il me semble que je respire mieux.

– Ben non, Raph. C'est juste que... j'ai une mauvaise journée. Excuse-moi.

Je me lève. J'ai envie de lui faire un câlin, mais je n'ose pas. J'ai aussi envie de lui confier que moi non plus, je ne passe pas une bonne journée, que j'ai peur que mon père ne revienne plus jamais à la maison, mais je n'ose toujours pas. Pourquoi, soudainement, les choses paraissent-elles si compliquées ?

– Si tu veux, je pourrais aller chez toi, un soir de la semaine prochaine, pour t'aider avec les pièces que tu vas jouer à l'audition, me propose-t-il tandis que nous nous dirigeons vers la sortie.

– OK ! m'exclamé-je avec enthousiasme. Et pour le party ? Tu vas venir ?

Il se gratte la tête en faisant mine de réfléchir intensément à la question.

– Ben oui ! finit-il par dire. Je peux quand même pas vous laisser seules avec une gang de pouilleux, hein ? ajoute-t-il avec un sourire en coin.

* *
*

Quand je descends de l'autobus scolaire, je constate avec soulagement que la voiture de mon père est garée dans l'entrée. Celle de ma mère n'y est pas ; d'habitude, elle ne rentre du travail que vers dix-sept heures. Je me précipite dans la maison ; mon père, installé à l'îlot de la cuisine, pianote sur son ordinateur portable tout en sirotant une bière. Dès qu'il me voit arriver, il se lève et m'ouvre les bras.

– Papa, j'avais peur que tu reviennes plus jamais, murmuré-je alors qu'il me serre tout contre lui.

– J'avais besoin de prendre l'air, soupire-t-il en se rassoyant sur son tabouret. Tu sais, ta mère, des fois...

– Est-ce que vous allez vous... vous séparer ?

Même si mes parents ne s'entendent plus aussi bien qu'avant et que même moi, parfois, j'en arrive à songer qu'ils seraient peut-être mieux l'un sans l'autre, je ne souhaite pas que cela se produise. Ainsi, la mine défaite de mon père, qui semble réfléchir à la question, ne me dit rien qui vaille.

– Je... je sais pas, Raphaëlle. C'est plus compliqué que ça...

Je connais mon père et je sais qu'il ne m'en révélera pas davantage. Je me lève et vais explorer le contenu du frigo, à la recherche d'une collation.

– T'as quelque chose à faire, là ? me demande-t-il alors que je mets la main sur un restant de salade de fruits.

– Euh... non, pas vraiment. Pourquoi ?

– Tu voudrais qu'on aille se balader à vélo avant que ta mère arrive ?

Mon père a l'air si enthousiaste que je n'ose pas refuser, même si une promenade à vélo n'est pas la chose qui me tente le plus au monde en ce moment.

J'avoue que, d'ici au retour de ma mère, je préférerais m'écraser sur mon lit, écouter de la musique et texter avec mes amies.

– OK ! décidé-je tout en me dirigeant vers l'escalier. Je me change et on y va !

* *
*

Ma mère rentre alors que je suis au piano. Elle monte l'escalier puis claque la porte de sa chambre. Quelques instants plus tard me parvient l'écho d'une nouvelle chicane. Je continue à jouer, martelant furieusement les touches de mon instrument pour ne pas entendre les hurlements de ma mère, les cris de mon père, les reproches et les insultes qu'ils se lancent allègrement par la tête.

– RAPHAËLLE DUMAS-LECLAIR ! TU AS FINI TON TAPAGE ? rugit maintenant ma mère, du haut des marches.

Pour toute réponse, je cesse de jouer et referme d'un mouvement sec le couvercle du piano. Je respire profondément, réprimant comme d'habitude ma colère, la refoulant au plus profond de mon être. Parce que, si je la laissais éclater, cette colère, si j'osais lui laisser libre cours, je ne sais pas si je serais capable de m'arrêter avant d'avoir tout cassé.

# - 2 -

***Vendredi 9 septembre, 19 h 36***

Nous sortons du métro à la station Berri-UQAM. Élise, qui connaît l'itinéraire à suivre pour se rendre chez Max, marche d'un pas décidé en tête de notre bande. Comme chaque fois que je viens à Montréal, je me sens fébrile. Les yeux grands ouverts, je regarde partout autour de moi, tentant de tout voir, d'analyser chaque odeur parvenant à mes narines, de m'imprégner des moindres vibrations qui nous entourent.

– Ça pue ! soupire Isabelle qui marche à mes côtés. Pis y a plein de monde bizarre..., ajoute-t-elle en désignant discrètement un petit groupe d'itinérants installés par terre, non loin de la sortie du métro. J'ai hâte qu'on soit rendus.

Quand elle dit des choses comme ça, Isabelle se comporte vraiment comme les jeunes nés en banlieue, élevés dans la ouate, pleins de préjugés, prêts à condamner tout ce qui, à leurs yeux, sort le moindrement de l'ordinaire. Moi, ça me plaît, d'être confrontée à une réalité différente de la mienne, d'avancer avec l'enivrante impression que, d'un moment à l'autre, tout pourrait arriver. J'ai la sensation d'être ici comme en voyage organisé, avec Élise qui nous guide. Je me promets que, un jour, je reviendrai toute seule et je trouverai mes propres repères.

Après avoir marché une quinzaine de minutes, nous parvenons au coin de la rue où demeure Max. Il y a là un petit dépanneur où entre Chloé – celle de nous qui paraît la plus âgée – dans l'espoir de réussir à acheter une caisse de bières. Nous retenons notre souffle jusqu'à ce qu'un instant plus tard elle sorte du commerce, victorieuse, la caisse entre les mains. Thomas, galant, lui propose de la porter, puis nous nous dirigeons vers l'immeuble où vivent Max et ses colocataires. À la queue leu leu, nous empruntons l'escalier en colimaçon puis l'escalier intérieur qui nous mène au troisième étage du triplex. Un grand brun nous attend dans l'embrasure de la porte, un large sourire aux lèvres.

– Salut, la gang ! Moi, c'est Max ! Entrez ! Faites comme chez vous !

Tout en pénétrant dans l'appartement, nous nous présentons à tour de rôle. Max nous embrasse sur les joues et serre la main de Thomas comme si nous nous connaissions depuis toujours. Nous le suivons ensuite jusque dans la cuisine où se tiennent, une bière à la main, une quinzaine de jeunes. Intimidés, nous restons groupés près de la porte. Thomas dépose par terre la caisse de bières et en offre une à chacune de nous. Après avoir décapsulé ma bouteille, j'en prends une petite gorgée en m'efforçant de ne pas grimacer.

– On s'achètera des *coolers*, la prochaine fois, me glisse Élise à l'oreille, comme si elle lisait dans mes pensées.

Je hoche la tête tout en me mettant à bouger cette dernière au rythme de la musique et en regardant les gens qui se trouvent dans la pièce. Je remarque que plusieurs garçons nous observent avec discrétion. Parmi eux, il y a Max... qui fixe Élise. Je me tourne vers mon amie et constate qu'elle lui sourit d'un air timide. Me sentant quelque peu étrangère à cet échange silencieux, je contourne notre groupe pour aller me placer près de Chloé.

– J'ai l'impression qu'il se passe quelque chose entre Max et Élise, lui dis-je à voix basse tandis que Max s'approche justement de notre amie.

– Depuis le temps qu'elle nous parle de lui..., renchérit Chloé.

C'est vrai que, depuis qu'elle a fait la connaissance de Max, par l'entremise d'un de ses cousins, Élise le mentionne souvent. Quand même, j'étais loin de me douter qu'elle éprouvait quelque chose pour lui. Je me sens un peu nulle de ne pas avoir su lire entre les lignes, et déçue, aussi, car d'habitude mon amie et moi partageons tous nos secrets.

Après avoir rigolé un moment avec Nicolas, le frère de Max, et Ben, le troisième coloc, notre bande décide d'aller sur la terrasse, une deuxième bière à la main.

Chloé en tête, nous traversons d'abord le balcon, où une dizaine de garçons et de filles sont entassés, puis empruntons l'escalier qui mène à la terrasse. Là-haut se trouvent encore une bonne vingtaine de personnes, debout ou bien assises sur des tabourets disposés autour de petites tables sur lesquelles ont été posés des bocaux de verre contenant de délicates bougies blanches. Une odeur de marijuana flotte dans l'air et je constate avec un certain malaise que tous les regards sont tournés vers nous.

Déjà là-haut, Élise est en train de faire, disons, plus ample connaissance avec Max. Elle s'empresse de nous envoyer la main et, rapidement, nous la rejoignons. Je n'ai pas tellement l'habitude de boire et l'alcool commence à faire effet ; j'ai les jambes molles et une douce euphorie me gagne peu à peu. Je ris pour tout et pour rien alors que je discute avec plein de nouvelles personnes, ma gêne s'étant envolée comme par magie. Paraissant dans le même état que moi, Élise dévore Max du regard tandis que Chloé semble se rapprocher dangereusement de Ben... Occupée à observer mes amies, je ne m'aperçois pas tout de suite que Thomas se tient à mes côtés. Ainsi, lorsqu'il pose la main sur mon bras, je sursaute.

– Ça va, Raph ? T'as l'air toute bizarre, me fait-il remarquer.

– Ça va... Je... Tu trouves que j'ai l'air bizarre ?

– T'es soûle ? demande-t-il avec un drôle de sourire.

– Ben non, juste un peu pompette.

Il se penche pour attraper une bière. Puis, il décapsule sa bouteille et laisse tomber le bouchon dans la caisse à moitié vide. Il avale une longue gorgée et, alors qu'il fait un pas pour se rapprocher encore davantage, il titube et s'appuie contre mon épaule pour reprendre son équilibre.

– Toi, t'es soûl ?

– Moi ? Pfff, ça en prend pas mal plus que ça pour me soûler, tu sauras !

Toujours souriant, il s'enfile de nouveau une longue gorgée de bière. C'est la première fois que je vois Thomas boire autant. C'est vrai que, jusqu'à ce jour, nous n'avons pas assisté à des tonnes de partys, mais, quand même, quelque chose me dit que ça n'augure rien de bon.

Alors que j'en suis à me demander comment réagir à l'attitude de mon ami, Chloé et Élise, qui ont abandonné leurs mecs respectifs pour l'instant, s'approchent de nous et, à leur tour, se penchent pour saisir une bière dans la caisse.

– T'en veux une, Raph ? me propose Élise.

Je m'apprête à lui répondre lorsque je repère un garçon qui s'avance vers moi en me fixant d'un regard particulièrement intense.

– Tu le connais ? m'interroge Chloé.

– Non... Je... euh... je pense pas.

Me voilà pétrifiée, changée en statue de sel. L'inconnu, sans un mot et sans que ses yeux quittent les miens une seule seconde, s'immobilise devant moi et, du bout des doigts, effleure ma joue. Puis, il prend doucement ma main et m'entraîne, comme si cela allait de soi, à l'autre bout de la terrasse, dans un recoin où personne ne peut nous voir.

Lui et moi, maintenant face à face, ma main toujours dans la sienne, nous contemplons en silence. Il a les cheveux bruns mi-longs, des yeux d'un bleu très pâle. De sa main libre, il touche de nouveau ma joue. Lorsque ses doigts se posent sur mes lèvres, une décharge électrique me parcourt violemment des pieds à la tête.

– T'es belle.

Le son de sa voix fait résonner quelque chose en moi, comme un très ancien souvenir. Je souris timidement. J'aurais envie de lui dire que lui aussi, il est beau, mais je n'ose pas.

– Comment tu t'appelles ?

– Raphaëlle, soufflé-je d'un ton altéré par l'émotion.

– T'es belle, Raphaëlle.

Il approche ma main de son visage, ferme les yeux et fait glisser mes doigts, avec une infinie lenteur, le long de sa joue.

– Moi, c'est Axel, murmure-t-il.

Alors qu'il ouvre les paupières et que ses lèvres esquissent un sourire, je vois, de biais, Isabelle qui, après nous avoir cherchés un instant, s'approche.

– Raph ! m'appelle-t-elle doucement. On s'en va !

Brutalement, je sors de ma torpeur. La main d'Axel toujours dans la mienne, je me tourne vers elle.

– Comment ça ?

– Thomas est tanné d'être ici. Il veut partir. De toute façon, c'est pas mal l'heure.

Axel et moi sortons de notre cachette. À quelques mètres derrière Isabelle, j'aperçois Thomas, qui semble particulièrement impatient. Je vois aussi Chloé, qui est en train de saluer Ben et Nico. Malgré ma déception, je lâche lentement la main d'Axel. En arrière-plan, la ville, illuminée, paraît si vivante en comparaison de notre banlieue tranquille, qui dort de l'autre côté du pont. J'aurais envie de rester encore un peu ici, près d'Axel... Je me tourne pourtant vers Isabelle.

– OK. Je vous rejoins dans deux minutes.

Elle m'adresse un hochement de tête entendu et s'éloigne en direction de Thomas. Accompagnés de Chloé, ils se dirigent ensuite vers l'escalier. Mes yeux rencontrent de nouveau ceux d'Axel.

– On se reverra ? demande-t-il en reprenant ma main dans la sienne.

– Euh... je...

– J'habite ici, murmure-t-il en posant les lèvres sur ma main. Avec Max.

Il me fait signe de regarder à ma droite. Élise et Max sont en train de s'embrasser. Je crois que devant cette scène, en temps normal, j'aurais été à la fois heureuse pour mon amie et jalouse d'elle. Mais, en ce moment, je n'ai absolument aucune raison d'être jalouse.

Tandis qu'Élise et Max se séparent, manifestement à regret, Axel se penche vers moi et m'embrasse doucement sur la joue.

– À bientôt, alors, belle Raphaëlle...

* *
*

– *My God*, Raph, c'était qui, ce gars-là ? me demande Isabelle alors que nous nous dirigeons vers le métro.

– Vous vous êtes embrassés ? m'interroge à son tour Chloé en sautillant à côté de moi et sans même m'avoir laissé le temps de répondre à la première question.

Alors que, jouant les énigmatiques, je me contente de sourire, Thomas, qui marche devant nous avec Élise, se retourne et me fixe, semblant lui aussi attendre ma réponse. Aussitôt, mon sourire s'estompe et je bafouille, les joues en feu :

– Euh... c'était... euh... un des colocs de Max. Il s'appelle Axel. Pis non, on s'est pas embrassés.

Thomas a ramené les yeux devant lui, mais je le connais assez pour savoir qu'il continue malgré tout à tendre l'oreille.

– Ça va venir, dit Chloé avec l'assurance de celle qui a de l'expérience en la matière. Il te regardait comme s'il avait jamais rien vu d'aussi beau.

– C'est vrai, renchérit Isabelle. Ç'a l'air d'être un gars super romantique. Et il est *cute*, en plus !

Pratiquement malgré moi, je me remets à sourire. Je sens que, jusqu'à ce que je revienne ici, je ne penserai plus qu'à lui. Cependant, la présence de Thomas, sans que je comprenne bien pourquoi, m'incite pour le moment à changer de sujet.

– Pis toi, Chlo ? Il s'est passé quelque chose avec Ben ?

– Non, souffle-t-elle alors que nous arrivons au métro Berri-UQAM. Il est pas mon genre !

Dans le métro puis l'autobus qui nous ramènent à la maison, j'écoute distraitement les conversations de mes amis. J'ai la tête ailleurs, dans un certain party, et il me semble sentir encore, sur ma joue, la caresse des doigts d'Axel.

### *Dimanche 11 septembre, 13 h 51*

Maintenant que j'ai terminé mes devoirs, étudié pour mon examen d'histoire, répété mon piano, accompagné mon père pour une balade à vélo et rangé ma chambre, je peux enfin profiter de ma fin de semaine. Élise m'attend chez elle ; elle a rendez-vous sur Skype avec Max. Si Axel est dans le coin, j'en profiterai pour lui faire un coucou.

En bas, ma mère nettoie l'intérieur des armoires. Depuis hier matin, elle n'a pas arrêté ; après avoir rangé de fond en comble tous les garde-robes de la maison, elle a lavé les vitres et voilà que, maintenant, elle s'attaque à la cuisine. Elle prétend que c'est le grand ménage d'automne, mais quelque chose me dit que, si elle se démène ainsi, c'est plutôt pour fuir ses propres pensées.

– Maman ?

– Oui ? lance-t-elle tout en continuant de classer des plats Tupperware.

# SORTIE DE SECOURS

– Je m'en vais faire un tour chez Élise.

– Tu as fini tes devoirs ?

– Oui.

– Et ton étude ?

– C'est réglé.

– Et ta...

– Oui, maman, j'ai rangé ma chambre, la coupé-je. J'ai même passé l'aspirateur, que j'ajoute, un brin d'exaspération dans la voix.

– OK. On soupe à dix-huit heures.

Le fait que ma mère n'ait pas relevé mon ton me confirme qu'elle n'est pas dans son état normal. Mon père et elle auraient-ils décidé de divorcer ? Tandis qu'elle était occupée à son fameux ménage d'automne, il a passé son temps dehors, à se promener à vélo, à bricoler dans la cour et je ne sais quoi encore. Lorsque je l'ai accompagné à l'épicerie, hier avant-midi, il ne m'a rien dit, il semblait même plutôt de bonne humeur. Bref, mes parents sont durs à suivre, ces temps-ci...

Le cœur néanmoins léger, je sors. Quelques secondes plus tard, je sonne chez Élise. Sa sœur Clara vient m'ouvrir. Sans même me laisser le temps d'entrer, elle s'écrie avec enthousiasme :

– Salut, Raph ! Élise t'attend dans sa chambre !

Puis, elle se sauve en courant, m'abandonnant dans l'entrée déserte. Comme je connais cette maison pratiquement aussi bien que la mienne, je referme la porte derrière moi et monte l'escalier. Je ne croise personne, ce qui est plutôt étonnant étant donné qu'à part Clara, Élise a une autre sœur et deux frères, tous plus jeunes qu'elle. Inutile de préciser que la maison est toujours bordélique et que les moments de calme y sont plutôt rares. Pour moi qui suis l'unique enfant d'une famille dirigée par une mère maniaque de l'ordre, ça fait changement ! Pourtant, je me suis toujours sentie bien, ici.

Élise, assise à son bureau de travail, est en train de naviguer sur Internet. Sans même la saluer, je m'étends sur son lit.

– Je pense que je suis amoureuse, soupiré-je.

– Moi aussi, renchérit-elle en se jetant sur le matelas et en s'allongeant près de moi.

– Quand est-ce qu'on retourne à Montréal ?

– Genre... euh... vendredi prochain ?

– Mets-en ! que je réponds tout en battant des jambes et des bras telle une enfant excitée.

– Max doit m'appeler sur Skype d'ici quinze minutes. Normalement, Axel devrait être là aussi, alors on leur demandera si on peut aller les visiter !

– Cool !

Le simple fait de savoir que, dans quinze minutes, je reverrai Axel – même si c'est sur un écran – me rend presque folle d'impatience. En même temps, on dirait que j'ai un peu peur ; et si j'étais déçue ? Et si je me rendais compte, en examinant le fond de ses yeux, qu'il a déjà cessé de s'intéresser à moi ? Peut-être avait-il simplement envie de flirter un peu, au party, sans pour autant vouloir aller plus loin...

Les minutes s'égrènent avec une infinie lenteur et je me sens de plus en plus perplexe. En plus, j'ai la bouche sèche et les paumes moites. Je décide d'aller faire un tour à la salle de bain, dans le but de m'arranger autant que possible et, surtout, de reprendre mes esprits.

– Raph ? m'interpelle Élise alors que je m'apprête à ouvrir la porte de sa chambre.

– Oui ?

– Tu t'inquiètes pour rien. Axel capote sur toi.

– Com... comment ça ? que je bafouille tout en abandonnant la poignée pour m'approcher d'elle.

– Ben là... faudrait être aveugle pour ne pas avoir remarqué de quelle façon il te dévorait des yeux..

Ce qu'elle vient de me dire me confirme ce que je pensais déjà. Pourtant, je doute encore.

– Il regarde peut-être toutes les filles comme ça, tu sais, avancé-je en haussant les épaules.

Se relevant d'un bond, Élise m'agrippe par les bras et me tire vers elle, me faisant, du coup, tomber sur le lit.

– T'as fini, oui ? m'exhorte-t-elle tout en me chatouillant comme si j'étais l'une de ses petites sœurs.

– Fini quoi ? que je demande.

Je tente de la repousser.

– Fini d'être une grosse idiote ! Il capote sur toi, je te dis !

Alors que je viens de prendre le dessus sur elle et que je m'apprête à lui faire vivre une véritable séance de torture, la sonnerie de Skype se fait entendre. Hirsutes et les vêtements de travers, nous nous dévisageons, aussi ahuries que si l'appel provenait directement de l'espace.

– Euh... mes cheveux, ils sont comment ? vérifie Élise qui se lève et arrange ses vêtements.

– T'as l'air d'une demeurée, mais vite, va répondre !

Tout en m'adressant une grimace et en passant la main dans ses longs cheveux bruns, elle s'empresse de rejoindre son ordinateur. Je me lève à mon tour afin de me rendre discrètement à la salle de bain, et Max apparaît à l'écran. Lorsque je reviens, à peine trois minutes plus tard, Élise m'indique d'approcher.

– Coucou ! lancé-je en me penchant afin que Max voie mon visage.

– Hé, salut, Raphaëlle ! Y a justement quelqu'un qui veut te parler !

Tandis qu'Élise se lève pour me laisser sa place et que Max fait la même chose de son côté, mon cœur se met à battre comme un fou. Je m'installe devant l'écran, devant Axel qui me regarde... de la même façon qu'il m'a regardée il y a deux jours. Puis, comme si cela allait de soi, nous avançons, d'un même mouvement, la main vers l'écran, comme pour nous toucher.

– Salut, prononce-t-il doucement. Je suis content de te revoir.

– Moi aussi.

Rougissante, je souris timidement.

– J'ai plein de choses à te dire, poursuit-il, mais j'aime pas trop les écrans... J'ai entendu Max et Élise parler ; comme ça, vous allez peut-être venir vendredi prochain ?...

– Oui, je...

J'allais lui préciser qu'avant de confirmer, je devais obtenir la permission de mes parents, mais je m'interromps par peur d'avoir l'air trop bébé. Lui, il vit déjà en appartement ; ça doit faire un bout de temps qu'il ne demande plus de permission à personne pour faire ce dont il a envie ! Quel âge peut-il bien avoir ? Dix-huit ans, comme Max ? Je n'ose pas poser la question.

– Je te confirme ça le plus tôt possible, souligné-je enfin. T'as un cellulaire ?

– Euh... je... en fait, non. Mais j'ai une adresse courriel, par exemple. Je te la donne ?

Nous échangeons nos adresses courriel. Je lui dicte aussi mon numéro de cellulaire. Puis, nous mettons fin à la conversation en nous promettant de nous donner des nouvelles très bientôt.

***15 h 58***

– Maintenant, il va falloir que je convainque mes parents de me laisser aller à Montréal pour une deuxième semaine d'affilée, confié-je à Élise alors que nous marchons vers le parc.

– T'as qu'à leur annoncer que tu t'es fait un chum, propose mon amie.

– C'est ce que toi, tu vas dire à tes parents ?

– Ben oui, répond-elle en haussant les épaules. C'est la vérité, après tout.

Elle a raison. Cependant, la réalité, c'est que mes parents sont loin d'être aussi cool que les siens. En fait, quand je parle de mes parents, je parle surtout de ma mère. Mon père, lui, est cool. Malheureusement, le plus souvent, il n'a pas vraiment son mot à dire en ce qui concerne les permissions qu'on m'accorde... ou pas.

Tout en discutant de notre éventuelle sortie du vendredi, nous entrons dans le parc et nous dirigeons vers la fontaine, qui est aussi le *spot* des adolescents du quartier. De loin, j'aperçois Lucas, mon premier copain, entouré de son habituelle petite bande. Je me demande comment j'ai fait pour sortir avec lui ; en comparaison d'Axel, il a l'air d'un vrai bébé.

Élise et moi nous assoyons sur un banc, un peu à l'écart des autres. Nous parlons de tout, de rien, mais surtout de Max, d'Axel et de la façon dont je pourrais convaincre mes parents de me laisser sortir vendredi. Les jeunes autour de nous, que nous fréquentons pourtant depuis des années, nous saluent de loin, mais évitent de s'approcher, comme si nos mots et nos sourires rêveurs avaient créé autour de nous une bulle d'intimité.

Vers dix-sept heures trente, nous rentrons chacune chez nous. Dès que je pose les pieds dans la maison et sans même prendre le temps d'enlever ma veste, je me dirige vers le piano. Je m'assois sur le banc, rabats doucement le couvercle, éprouve, sous mes doigts, la douceur des touches. Puis, les yeux mi-clos, j'entame la pièce *Mariage d'amour*.

### *Mardi 13 septembre, 8 h 16*

Tout en finissant de me préparer, j'ouvre ma boîte de courriel et fais pratiquement une crise cardiaque en découvrant qu'Axel m'a écrit. Le message s'intitule *Je pense à toi.* Je m'empresse de l'ouvrir.

> Raphaëlle,
>
> Peut-être vas-tu me croire fou, mais, depuis qu'on s'est rencontrés, je n'arrête pas de penser à toi. En me réveillant le matin, en marchant dans la rue et bien plus encore en me couchant le soir. Je ferme alors les paupières et je revois ton sourire, la douceur de tes yeux clairs.
>
> Axel

– Raphaëlle ! crie ma mère du rez-de-chaussée. Je m'en vais ! Dépêche-toi si tu veux pas être en retard !

– OK ! Bonne journée ! lui souhaité-je tout en me déconnectant et en mettant mon ordinateur en veille.

### *8 h 41*

Le trajet pour me rendre à l'école se déroule comme dans un rêve. Dans l'autobus, assise à côté d'Élise qui, les écouteurs sur les oreilles, est elle aussi dans sa bulle, je pense à lui. J'ai déjà hâte de relire son message. Je n'ai pas encore eu le courage de demander à mes parents la permission de sortir vendredi, mais je le ferai dès ce soir. Élise m'a conseillé de leur dire la vérité, car, selon elle, c'est ainsi qu'on bâtit des liens de confiance. Cela fonctionne assurément pour elle, mais, pour moi, c'est une autre histoire. Si elle apprend que j'ai un chum, ma mère voudra tout savoir sur lui et, très rapidement, cela deviendra absolument impossible à supporter. Ainsi, je me tairai et, s'il le faut, je mentirai. Oui, je mentirai. Cela peut paraître étonnant, mais, jusqu'à maintenant, jamais encore je n'ai menti à ma mère. Enfin, pas vraiment... Du moins, pas pour des trucs importants.

L'autobus qui s'arrête devant l'école interrompt brutalement mes réflexions. En traversant le boulevard, j'aperçois Thomas, tout seul près de l'entrée principale. Quand il nous voit, il s'anime, ajuste son sac, passe la main dans ses cheveux. Il est nerveux ou quoi ?

– Salut, les filles ! nous lance-t-il tout en venant vers nous.

– Salut, Tom ! nous écrions-nous en chœur.

– Tu nous attendais ? demande ensuite Élise. Où sont les autres ?

– Ils sont déjà rentrés, répond Tom en posant les yeux sur moi. J'aimerais ça te parler une minute, Raph.

– Bon ben je vous laisse, dit Élise en nous décochant un regard de biais.

Une fois Élise partie, Tom s'approche de moi. Non, je n'ai pas rêvé, il est vraiment nerveux. Je le connais assez bien pour m'en rendre compte.

– Je voulais m'excuser, souffle-t-il à voix basse. J'ai été plate avec toi ces derniers temps...

– Oh ! euh... c'est pas si grave, tu sais. T'as pas besoin de t'excuser.

– Quand même..., insiste-t-il tout en fixant le bout de ses chaussures, une fille comme toi mérite pas qu'on soit bête avec elle.

Je reste silencieuse. Une fille comme moi ? Qu'est-ce que ça signifie ?

– Tu veux que je me rende chez toi, demain, pour t'aider avec ton piano ? me propose-t-il alors que nous entrons dans l'école.

– Demain, il y a mon tuteur qui vient à la maison...

– Ben... je pourrais passer après le souper, alors.

– OK..., accepté-je sans trop d'enthousiasme.

– T'es sûre ? demande-t-il.

Devant son air déçu, je m'empresse de me reprendre.

– Ben oui ! Ce serait super ! En plus, il faut vraiment que je mette les bouchées doubles en ce moment.

– Cool. À plus, Raph ! me salue-t-il en se dirigeant vers son local de cours.

Je lui envoie un signe de la main en me reprochant intérieurement ma stupidité. J'ai l'impression d'avoir blessé Tom, qui s'est bien aperçu que ça ne me tentait pas tant que ça qu'il m'aide à répéter mon piano demain soir. C'est juste qu'en ce moment, j'ai la tête ailleurs. L'audition me semble bien insignifiante en comparaison des sentiments que j'éprouve pour Axel. Mais ça, je ne peux pas en parler à Tom. Pourtant, lui et moi, on s'est toujours fait des confidences. Quand je sortais avec Lucas, et lui, avec Anne-Sophie, on se racontait tout, jusqu'aux détails intimes de nos relations (même si ni lui ni moi ne sommes allés jusqu'au bout avec nos chum et blonde respectifs). Pourquoi, alors, ai-je cette désagréable sensation que, désormais, les choses ne sont plus pareilles entre nous ? Faut-il vraiment que tout se complique quand on vieillit ?

* *
*

Pendant l'heure du dîner, Chloé, sans le savoir, me facilite grandement la vie.

– Eille, les filles, dit-elle alors que nous venons, Élise, elle et moi, de nous installer à notre table habituelle, ma belle-mère m'emmène magasiner au centre-ville vendredi soir. Y a encore trois places dans la voiture. Ça vous tente de venir avec nous ?

Élise me donne un petit coup de pied sous la table. Je lui lance subtilement un regard entendu.

– Ben oui, m'exclamé-je d'une voix mal assurée. Ce serait vraiment cool !

– Mets-en, renchérit Élise.

Chloé nous adresse un sourire radieux avant de mordre dans son sandwich. Ma mère ne pourra pas refuser que j'accompagne Chloé et sa belle-mère dans une séance de magasinage. La connaissant, elle me donnera même des sous pour m'acheter un t-shirt ou une nouvelle paire de pantalons. Mais Chloé, elle, sera-t-elle déçue lorsque nous lui apprendrons que, au fond, nous ne souhaitons que profiter du *lift* offert par sa belle-mère ? Ah ! Je déteste ce genre de situation ! Puis, ce n'est pas du tout mon genre d'utiliser ainsi mes amies... Je mange ma quiche en évitant le regard de Chloé.

Thomas, Pedro et Isabelle nous rejoignent à la table. Ils ont à peine eu le temps de s'asseoir que, déjà, Chloé propose à Isabelle de se joindre à nous vendredi.

– Ah ! Ça tombe mal, répond cette dernière. Pedro et moi, on avait prévu aller au cinéma.

Le dîner se poursuit dans une ambiance joyeuse et j'oublie momentanément mon malaise.

***19 h 45***

Alors que, devant l'édifice où a eu lieu mon cours de ballet, j'attends que mon père vienne me chercher, mon cellulaire vibre dans ma poche. Élise m'a envoyé un texto.

# SORTIE DE SECOURS

J'ai tout arrangé avec Chlo. T'as juste à dire à ta mère qu'on va magasiner avec elle et sa belle-mère. *Love you.* xxx

Je pousse un long soupir de soulagement.

* *
*

En rentrant à la maison, je m'empresse d'aller rejoindre ma mère qui, dans la cuisine, prépare les lunchs pour demain.

– Si tu as faim, prends-toi un bol de céréales, me suggère-t-elle sans même me regarder.

– J'ai pas faim, dis-je en m'assoyant à l'îlot. Maman ?

– Oui ?

Elle me tourne le dos, s'affairant toujours autour des boîtes à lunch. Même si je n'ai pas l'impression qu'elle m'écoute vraiment, je me lance.

– Chloé nous a invitées, Élise et moi, à aller magasiner avec sa belle-mère à Montréal, vendredi soir. Je peux ?

Après un instant de silence – qui me paraît durer une éternité –, elle se tourne enfin vers moi.

– À Montréal ? Mais tu y es déjà allée, la semaine dernière... Vous pourriez tout simplement vous rendre au centre commercial, non ?

M'y voici. Je dois mentir, je n'ai pas le choix.

– La belle-mère de Chlo veut visiter une boutique en particulier... rue Sainte-Catherine, je pense...

– Ah. Et vous souperez là-bas ?

– Oui. Dans un resto pas trop cher, j'imagine.

– Bon, c'est OK, alors. Mais je veux pas que tu rentres tard. Tu as besoin de sommeil pour avoir de bonnes notes, cette année.

Pour la deuxième fois ce soir, je pousse un long (mais discret, ce coup-ci) soupir de soulagement.

* *
*

Avant de me coucher, je réponds au courriel d'Axel.

> Re : Je pense à toi
>
> Axel,
>
> Je pense à toi comme je respire. Partout où je vais, tu es là, tapi dans l'ombre ou aussi

lumineux que le soleil du printemps. M'as-tu jeté un sort ?

Je serai à Montréal ce vendredi...

Raphaëlle x

# - 3 -

***Vendredi 16 septembre, 19 h 05***

Après avoir soupé avec Chloé et Joannie, sa belle-mère, Élise et moi nous dirigeons vers l'appartement de Max et d'Axel. Tout en marchant, je repense à ma soirée de mercredi, quand Thomas est venu chez moi m'aider à répéter la pièce que je devrai présenter lors de mon audition pour le collège, en mars prochain. Comme ces derniers temps à l'école, il était étrange. Et puis, nos mains se sont frôlées à plusieurs reprises au-dessus des touches du piano et je sais que ce n'était pas un hasard. En fait, cette soirée a confirmé ce dont je commençais à me douter : Thomas est amoureux de moi. Lorsque je lui en parlerai, Élise me dira certainement qu'elle, Chloé, Isabelle (et peut-être même Pedro !) avaient remarqué ça depuis longtemps, mais que, afin de ne pas embarrasser Thomas, ils attendaient qu'il m'en parle de lui-même...

– On va tourner à gauche à la prochaine rue, me rappelle Élise, interrompant le fil de mes pensées. J'ai trop hâte de voir Max ! ajoute-t-elle en agitant les mains comme une fillette.

Je reviens aussitôt sur terre. Nerveusement, j'arrange mes cheveux, lisse les plis de ma jupe. De son côté, mon cœur se met à battre comme un fou dans ma poitrine.

***19 h 35***

Après avoir pris une bière avec Max, Élise et les colocs, Axel et moi nous déplaçons vers sa chambre. Il ouvre la porte et m'invite à passer devant lui. Je m'immobilise, hésitante. Évidemment, j'ai le goût de me retrouver seule avec lui, mais, en même temps, cette perspective m'inquiète un peu ; je n'ai pas envie que les choses aillent trop vite. Me prenant par la main, Axel m'attire près de lui. J'enfouis mon visage dans sa poitrine, m'enivrant de son odeur. Mes mains caressent son dos tandis que les siennes se perdent dans mes cheveux. Puis, comme si cela allait de soi, nos visages se rapprochent l'un de l'autre, nos yeux se ferment et nos lèvres se rencontrent, s'unissent en un tendre baiser. J'ai l'impression de voguer sur une mer de douceur.

Pendant l'heure qui suit, Axel et moi discutons, étendus sur son lit. Je lui parle de moi, de mes parents, de leurs chicanes, de mon projet d'intégrer, l'année prochaine, l'école de musique.

– C'est ton projet à toi ou celui de ta mère ? me demande-t-il. Tu sais, moi, mes parents m'ont mis dehors il y a deux ans parce que j'ai décidé d'aller étudier en photo plutôt qu'en sciences. Mon père est médecin et il aurait voulu que je suive ses traces. Pour lui, photographe, c'est pas un vrai métier, ajoute-t-il en haussant les épaules.

– Attends, l'arrêté-je en me redressant, tes parents t'ont mis dehors juste parce que tu refusais d'aller étudier en sciences ?

Axel se redresse à son tour, fouille dans le tiroir de sa table de chevet, y trouve un joint, l'allume et me le tend.

– Disons qu'il y avait aussi d'autres problèmes, admet-il alors que je prends une petite bouffée du joint avant de le lui remettre.

– Quel genre de problèmes ?

Il sourit en fumant, d'un sourire amer qui me laisse croire que je n'aurais peut-être pas dû poser cette question.

– Ils trouvaient que je faisais trop le party.

Je reste muette, ne sachant trop quoi dire. Axel se penche vers moi, m'embrasse tendrement, caresse mon visage. Puis, il s'allonge tout contre moi et nous demeurons ainsi, abandonnés dans les bras l'un de l'autre jusqu'à ce qu'on cogne à la porte. Je sursaute.

– Raph, m'appelle Élise de l'autre côté de la porte. Chlo vient de me texter. Sa belle-mère et elle sont prêtes à partir ! Amène-toi !

Je me défais à contrecœur de l'étreinte d'Axel, ramasse mes affaires et rejoins Élise dans l'entrée. Axel me serre de nouveau très fort contre lui.

– Reviens me voir bientôt, ma chérie..., murmure-t-il à mon oreille.

Je rentre à la maison avec la sensation de flotter sur un petit nuage.

***Samedi 17 septembre, 10 h 10***

– C'était bien, votre magasinage ? me demande ma mère en finissant sa tasse de café.

Je ne peux m'empêcher de rougir. J'aurais dû prévoir ce que j'allais répondre lorsqu'elle me poserait cette inévitable question.

– Ouais, c'était correct, déclaré-je simplement.

– T'as acheté quelque chose avec l'argent que je t'avais donné ?

– Euh... non, j'ai rien trouvé, raconté-je en feignant la déception. J'ai juste pris dix dollars pour manger.

– Bon. Je vais m'entraîner puis faire les courses. Je reviens dans l'après-midi, annonce-t-elle en sortant de la cuisine sans me regarder.

Je me sens soulagée lorsqu'elle referme la porte derrière elle. Je déteste mentir, mais, en vérité, j'ai l'impression que je n'ai pas vraiment le choix ; comment réagirait ma mère si je lui apprenais que j'ai maintenant un copain de dix-huit ans que ses parents ont mis dehors parce qu'il faisait trop la fête ?

Alors que je me lève pour prendre un verre dans l'armoire, des éclats de voix me parviennent de l'extérieur. Je vais à la fenêtre du salon et je vois mes parents, debout près de la voiture de ma mère, en train de s'engueuler. Je ne comprends pas ce qu'ils disent, et c'est probablement mieux comme ça. Je commence à en avoir assez de leurs chicanes et du climat de tension qui règne désormais en permanence à la maison.

Je retourne à la cuisine et je me prépare à déjeuner. Dehors, ils crient toujours. Quelques minutes plus tard, j'entends la portière de ma mère claquer et cette dernière s'éloigner en faisant crisser ses pneus ; mon père entre dans la maison en refermant avec fracas la porte derrière lui. Puis, il se dirige vers la salle de bain, d'où je perçois bientôt des cris étouffés.

Mal à l'aise, je prends un muffin dans un plat sur le comptoir ainsi que mon verre de jus et je m'empresse de me diriger vers l'étage. En posant le pied sur la première marche de l'escalier, j'entends mon père pleurer. Cela me donne un tel choc que je cours presque à ma chambre, où je m'enferme. Tandis que je dépose mon muffin et mon verre de jus sur le coin de mon bureau, je remarque que je viens de recevoir un nouveau message. Le cœur battant, je m'approche de mon ordinateur.

Ma chérie,

Viendrais-tu me rejoindre aujourd'hui ?...

Je pourrais passer te chercher au métro Berri à l'heure que tu voudras. J'ai besoin de te voir, de me baigner dans le bleu clair de tes yeux. Viens, je t'en prie...

Axel

Je lève les yeux vers la fenêtre, aperçois le ciel d'un bleu sans nuage, les arbres qui se balancent doucement dans la brise légère de fin d'été. Sans réfléchir, j'enlève mon pyjama, enfile une culotte, un soutien-gorge, un jean, une blouse noire à manches courtes. Puis, tout en buvant mon jus, je me coiffe, attachant mes cheveux en une simple queue de cheval, mets des boucles d'oreilles et maquille légèrement mes yeux.

Retenant mon souffle, je m'assois ensuite devant mon ordinateur.

Axel,

Moi aussi, j'ai envie de te voir.

Je serai au métro Berri à 11 h 30.

J'arrive...

Raphaëlle

# SORTIE DE SECOURS

## *11 h 18*

C'est la toute première fois que je quitte la maison sans en avoir au préalable demandé la permission à mes parents. Quand je suis sortie, ma mère n'était pas encore revenue du gym et mon père était dans leur chambre. Évidemment, j'aurais pu aller le voir pour lui annoncer que je partais, mais j'avais peur qu'il me pose des questions auxquelles j'aurais été obligée de répondre par des mensonges. Et puis, je ne me sentais pas capable d'affronter ses yeux rougis par les larmes ; peut-être même était-il encore en train de pleurer. Alors, j'ai laissé un mot sur le comptoir de la cuisine, expliquant brièvement que j'étais à Montréal, ne spécifiant pas l'heure de mon retour.

Pour tout dire, je me sens affreusement coupable d'être là, dans le métro, alors que mon père est malheureux, qu'il s'enferme pour pleurer. Quant à ma mère, je sais que cette « fuite » de ma part la vexera au plus haut point et je préfère ne pas penser au discours qu'elle me servira dès mon retour à la maison. Sans parler des inévitables conséquences qui s'ensuivront... De toute façon, d'ici là, elle m'appellera certainement au moins cinquante fois sur mon cellulaire.

Nous approchons du métro Berri. Je me lève, me plante devant la porte, observe mon reflet dans la vitre. Je vois une adolescente aux cheveux blonds attachés en queue de cheval, vêtue et maquillée simplement, qui se retrouve seule pour la première fois dans le métro. Dans ses yeux, il y a autant de doute que de joie ; elle est partie de chez elle sans en demander la permission à qui que ce soit et ne sait d'ailleurs pas quand elle y retournera...

Je descends du train et me faufile dans la foule. Je monte l'escalier, repère ma sortie. Axel est là, près des tourniquets. Ses cheveux bruns sont, tout comme les miens, attachés en queue de cheval et il porte une veste rouge qui lui va bien. Quand il me voit, son visage s'illumine d'un sourire si tendre que je me sens fondre. Je passe le tourniquet et, sans me poser la moindre question, m'avance vers lui, me laisse tomber dans ses bras. Il me serre fort contre lui et je grave dans ma mémoire l'odeur de sa peau.

***12 h 27***

Axel a préparé un pique-nique que nous mangeons au parc La Fontaine ; baguette, saumon fumé, olives, crudités, petite bouteille de mousseux, tout y est, même la nappe blanche et le bouquet de fleurs. J'ai l'impression d'être dans un film... un beau film d'amour où tout finit bien. Après avoir mangé, nous nous promenons en nous tenant par la main et en nous arrêtant toutes les cinq minutes pour nous embrasser, un peu ivres à cause du vin. Axel sort son appareil et prend des photos de moi.

– Accepterais-tu d'être ma muse, ma chérie ? n'arrête-t-il pas de répéter en posant le genou par terre pour me faire le baisemain.

Et moi, je ris. Folle de bonheur. Amoureuse.

## SORTIE DE SECOURS

***14 h 15***

Alors que nous nous rendons chez Axel, mon téléphone sonne. C'est ma mère, qui vient probablement, après être allée s'entraîner et faire les courses, de constater mon absence. Je réponds à la quatrième sonnerie.

– Allô ?

– Raphaëlle ! s'époumone-t-elle d'emblée dans le combiné. Où es-tu ? Tu peux pas partir comme ça, sans en parler à personne ! Je veux que tu rentres à la maison immédiatement ! Tu m'entends ?

J'ai une envie folle de lui raccrocher au nez. De quel droit me crie-t-elle ainsi dans les oreilles ? Je respire un grand coup.

– Je suis à Montréal, maman. Avec un ami. Je suis en sécurité ; t'as pas besoin de t'inquiéter.

– Tu rentres tout de suite ! hurle-t-elle comme si je parlais dans le vide. Sinon, je viens te chercher ! T'as compris ?

Et voilà, je me sens énervée. Je me mets à crier à mon tour.

– Calme-toi, OK ? Je te répète que je suis avec un ami, je fais rien de mal !

Axel m'adresse un signe pour me demander de l'écouter. Alors que ma mère se remet à s'emporter à l'autre bout du fil, j'éloigne le téléphone de mon oreille.

– Dis-lui que je vais aller te reconduire au métro à dix-huit heures. OK ?

Je hoche la tête d'un air entendu.

– Maman ? Maman, écoute-moi !... Mon ami va venir me...

– Ton ami ? Il s'appelle comment, ton ami, hein ?

Je soupire. Axel serre fort ma main dans la sienne.

– Il s'appelle Axel... Il va venir me reconduire au métro Berri à dix-huit heures. Donc, je devrais être à la maison vers dix-huit heures quarante-cinq.

– C'est la dernière fois que tu t'enfuis comme ça, Raphaëlle Dumas-Leclair ! vocifère-t-elle avant de me raccrocher au nez.

Je range mon téléphone dans la pochette avant de mon sac à dos, bien déterminée à oublier ma mère jusqu'à dix-huit heures. D'ailleurs, nous sommes déjà au pied de l'escalier menant à l'appartement d'Axel.

– Ta mère, me dit ce dernier en me prenant dans ses bras et en m'embrassant dans le cou, a l'air d'avoir le même style éducatif que la mienne.

Je frissonne sous ses baisers.

– La laisse pas contrôler ta vie, ajoute-t-il en me léchant le lobe de l'oreille.

Je ris, une multitude de papillons dansant dans mon ventre, et me colle un peu plus contre lui. Puis, main dans la main, nous montons l'escalier.

* *
*

L'appartement est désert. Axel prend une bière dans le frigo et m'en offre une, que j'accepte même si je n'aime pas vraiment le goût et que je suis déjà un peu pompette. Je le suis jusqu'à sa chambre et m'installe sur son lit.

– Je te montre mes photos ? me propose-t-il.

Je hoche la tête en souriant, soudainement redevenue timide, et le regarde tandis qu'il prend son ordinateur portable sur son bureau et qu'il le dépose près de moi sur le lit. Il abandonne sa bouteille de bière sur la table de chevet, se penche vers moi et m'embrasse en me caressant la nuque. Puis, il se lève et va chercher une boîte métallique tout en haut de son étagère. Il la place sur son bureau, en sort quelques objets. Je me demande ce qu'il fabrique jusqu'à ce qu'il se penche pour sniffer ce que je suppose être une ligne de cocaïne.

– T'en veux ? m'offre-t-il en se tournant vers moi.

Mon cœur bat comme un fou. Tout à coup, je me sens complètement perdue. Évidemment, j'ai déjà entendu parler des drogues dures, mais jamais encore je n'avais eu l'occasion de voir quelqu'un en consommer.

– Non, merci, que je murmure.

Percevant mon trouble, Axel range rapidement son « matériel » et vient me rejoindre sur le lit. Il me prend dans ses bras.

– T'en as jamais pris, c'est ça ? demande-t-il.

– Non.

– T'inquiète pas, j'en fais pas souvent. Juste de temps en temps, pour le fun.

Je me dis que, peut-être, si j'étais plus « le fun », il n'aurait pas besoin de se droguer. Peut-être ne me trouve-t-il pas assez entreprenante ?

Il démarre son ordinateur et ouvre un dossier. Pendant la demi-heure qui suit, il me montre ses photos. Ce sont principalement des photos « urbaines » en noir et blanc : paysages de ville, passants ou animaux croqués à leur insu, gros plans sur des détails architecturaux ou sur des objets hétéroclites. Je ne connais pas grand-chose à la photographie, mais je sais que j'aime beaucoup le style d'Axel. Ses photos, comme si elles venaient remuer quelque chose en moi, me touchent profondément. Lorsqu'il referme son dossier et qu'il pose les yeux sur moi, je me contente de laisser aller ma tête sur sa poitrine, trop émue pour dire quoi que ce soit. Il me prend dans ses bras et nous nous allongeons l'un contre l'autre sur son lit. Nous nous embrassons un moment puis il défait les boutons de ma blouse et, avec une infinie tendresse, caresse mon ventre, ma poitrine. Je sens mon souffle qui s'accélère et un étrange vertige me fait tourner la tête. J'ai envie, moi aussi, de toucher sa peau. Je glisse une main sous son t-shirt, effleure son dos, ses épaules. Il me regarde en souriant puis enlève son haut, le lance à l'autre bout de la chambre. Sans que je sache pourquoi, nous éclatons de rire. Nos peaux nues se rencontrent pour la première fois, nous nous apprivoisons tranquillement. Ni lui ni moi ne cherchons à aller plus loin pour l'instant et c'est parfait comme ça. Sa main chaude sur mon ventre, ses lèvres contre les miennes me comblent, m'excitent et m'apaisent à la fois.

Malheureusement, même si je suis infiniment bien, les minutes filent et, comme je ne désire pas alimenter davantage la colère de ma mère, je signale à Axel qu'il est temps pour moi de rentrer.

– On y va quand tu veux, ma chérie d'amour, me dit-il en se levant pour aller chercher son t-shirt.

Je souris en boutonnant ma blouse. Après le mousseux et le saumon fumé, voilà les mots doux ; décidément, mon nouvel amoureux est un homme romantique...

* *
*

À dix-huit heures pile, nous sommes au métro Berri. Après être restés un long moment enlacés, nous nous séparons à regret et je marche vers le train en direction de Longueuil. Je me demande pourquoi toutes les personnes que je croise me sourient... jusqu'à ce que je réalise que j'ai moi-même un sourire gravé sur le visage et que même le fait de penser à ma mère et d'anticiper la punition exemplaire qu'elle risque de m'infliger n'arrive pas à le chasser.

### *18 h 52*

Ma mère, debout près de l'îlot de la cuisine, m'ordonne d'un geste de m'asseoir. Je peux déceler, sur son visage, de la colère, mais aussi autre chose ; de la tristesse, peut-être ? Tout en m'installant sur un tabouret, je redoute le pire.

– Philippe ! Ta fille est rentrée ! crie-t-elle ensuite, me faisant, du coup, sursauter.

Mon père sort du bureau, vient se placer près d'elle. J'ai l'impression de participer à une pièce de théâtre où tous les acteurs connaissent leur rôle, sauf moi.

– Pas besoin de te dire, Raphaëlle, que tu me déçois beaucoup, martèle ma mère. Partir comme ça, sans avertir personne, sans permission, pour aller retrouver un gars qu'on connaît même pas... Franchement, à quoi t'as pensé ?

Je baisse la tête, alors que je m'étais pourtant promis d'affronter son regard.

– Je... j'avais besoin d'air...

– Besoin d'air ? crie-t-elle en avançant d'un pas vers moi. Non, mais je rêve ou quoi ? Tu vis ici comme une princesse et t'oses nous raconter que t'as besoin d'air ?

– Calme-toi, Audrey, intervient mon père. Raphaëlle a seize ans, c'est normal qu'elle cherche à avoir plus de liberté.

Elle recule d'un pas tandis que mon père poursuit sur sa lancée.

– Quand même, ta mère a raison. Tu peux juste pas partir comme ça, sans nous prévenir. On était inquiets, tu comprends ?

Je hoche la tête tout en continuant d'admirer la céramique de l'îlot.

– Tu comprendras aussi qu'on peut pas laisser ça aller, poursuit mon père d'un ton mal assuré. Tu es donc privée de sorties pour deux semaines.

Je lève les yeux vers lui, encore plus surprise que fâchée. Depuis quand est-ce lui qui m'annonce mes conséquences ? Sérieusement, je pense que c'est la première fois que mon père me réprimande. D'habitude, ma mère se fait un plaisir de s'en charger. Aujourd'hui, cependant, ni elle ni lui ne semblent être dans leur état normal. Je les observe à tour de rôle ; ma mère, fixant le sol, joue avec son collier.

Mon père, lui, a les yeux rougis et le sourire qu'il esquisse lorsque nos regards se croisent est empreint de tristesse.

– On a autre chose à te dire, annonce soudainement ma mère en levant la tête vers moi. Ton père et moi... on a décidé de divorcer.

Abasourdie, j'écarquille les yeux. Ils se chicanent tellement en ce moment que je ne devrais pas être surprise. Pourtant, je suis pratiquement en état de choc.

– Mais... euh... vous êtes sûrs ? que je finis par demander. C'est normal, dans un couple, de se chicaner...

– Raphaëlle, m'interrompt ma mère, il y a des choses que tu peux pas comprendre. On a bien discuté et on pense vraiment que c'est la meilleure décision pour tout le monde.

Je jette un coup d'œil à mon père. Je voudrais bien savoir ce qu'il en pense, lui, de cette décision censée être la « meilleure pour tout le monde »...

– On prévoyait se partager ta garde, poursuit-elle, mais, comme tu as seize ans, tu as ton mot à dire là-dedans.

– Pour le moment, ajoute mon père, ta mère va garder la maison. Moi, je me louerai un appartement dans le coin... avec une chambre pour toi, évidemment.

Tandis qu'il m'observe avec, me semble-t-il, une certaine insistance, ma mère se dirige vers le frigo, en sort des légumes et, comme si de rien n'était, commence à préparer le souper. Ne pouvant plus supporter ni le regard de mon père ni la froide indifférence de ma mère, je leur tourne le dos et me précipite vers ma chambre. Là, derrière ma porte fermée, le visage enfoui dans mon oreiller, je laisse enfin libre cours à mes larmes et à mon désespoir.

# - 4 -

***Dimanche 18 septembre, 10 h 15***

Mon père m'a proposé de l'accompagner dans ses visites d'appartements, mais j'ai décliné l'invitation. S'ils ont résolu, lui et ma mère, de se séparer, ce n'est pas mon problème ; qu'il ne compte donc pas sur moi pour l'aider à choisir son futur appartement, ni pour faire ses boîtes, ni pour quoi que ce soit, d'ailleurs. C'est ce que je lui ai dit, mais, dans le fond, j'ai le cœur en miettes. À la seule idée que mon père vive loin de moi, je me sens toute à l'envers. En même temps, rien ne m'empêcherait de partir avec lui. Ma mère m'a affirmé que c'était à moi de choisir avec qui je voulais habiter, que cette décision m'appartenait. Elle m'a expliqué tout ça avec détachement, comme si elle me demandait de trancher entre un chandail rouge et un chandail bleu. Mais je la connais : si je décide d'aller vivre avec mon père, elle sera furieuse. Elle me traitera de fille ingrate et m'en voudra à mort.

Je prends mon téléphone et envoie un texto à Élise.

Suis privée de sorties pour 2 semaines à cause d'hier !!! ☹

Quelques minutes plus tard, mon amie me répond.

Ah ! C'est plate, ça ! Je m'en vais justement à Montréal cet après-midi pour voir Max !

En soupirant, j'écris ensuite un message à Axel, où je lui explique la situation, et que je ne pourrai donc pas aller chez lui. J'ai un peu honte d'être encore, en quelque sorte, obligée d'obéir à mes parents, mais je ne veux pas lui mentir et m'inventer des excuses. Ah ! Il me tarde tant d'avoir mon propre appartement !

En attendant une réponse d'Axel, je descends répéter mon piano. Alors que je multiplie les fausses notes, je sens la présence de ma mère dans mon dos.

– Pourquoi t'inviterais pas Thomas à venir t'aider comme l'autre fois, hein ? propose-t-elle lorsque j'ai fini de jouer le premier morceau de mon répertoire. L'audition est dans quelques mois à peine et tu as encore de la difficulté avec certains passages...

L'audition, encore et toujours l'audition... Elle avait déjà commencé à me mettre de la pression en juin, mais, depuis la rentrée, elle me casse continuellement les oreilles avec ça ! Je me retiens à deux mains pour ne pas lui dire de se la mettre où je pense, son audition ! À la place, je réponds que je vais y réfléchir, que c'est une bonne idée, puis je retourne dans ma chambre. Mon téléphone, posé sur ma table de chevet, m'indique que j'ai un nouveau message. J'ouvre ma boîte de réception et y découvre un courriel d'Axel. Aussitôt, mon cœur se met à battre très fort.

Raphaëlle,

Tes parents ont décidément le même style éducatif que les miens... Je trouve ça vraiment plate pour toi. Comme je ne crois pas avoir la force de passer deux semaines sans te voir, je songeais que moi, je pourrais peut-être venir te visiter ? Je pense à toi, ma bien-aimée.

Axel

Je n'en reviens pas qu'Axel soit si compréhensif. Ce n'est pas Lucas, ni, à mon avis, un autre gars de mon âge qui m'aurait proposé ça... En même temps, l'ambiance ici est tellement déprimante que je doute que ce soit le bon moment pour présenter mon nouveau copain à mes parents.

Je m'assois sur mon lit en soupirant, mon cellulaire à la main. Tout à coup, j'ai un flash. Sans réfléchir davantage, je bondis sur mes pieds et je sors de ma chambre. Alors que je m'apprête à entrer dans la salle de bain, ma mère m'interpelle du rez-de-chaussée.

– Raphaëlle ! Je m'en vais faire les courses ! As-tu besoin de quelque chose ?

Je m'avance vers l'escalier.

– Tu veux venir avec moi ? demande-t-elle en m'apercevant.

*Surtout pas,* me dis-je en mon for intérieur. *Si tu savais comme ça m'arrange que tu partes...*

– Non, l'informé-je plutôt. Je vais aller faire un tour chez Élise, je pense. C'est correct ?

– Chez Élise, c'est correct. Mais nulle part ailleurs, compris ? Je te rappelle que tu es privée de sorties pour deux semaines.

*Blablabla...*

– Oui, maman. J'ai compris. À tantôt.

– À tantôt ! lance-t-elle en refermant la porte derrière elle.

D'un pas rapide, je me dirige aussitôt vers la salle de bain. Je me passe la soie dentaire, me brosse les dents, me coiffe et applique sur mes cils un peu de mascara. Avant de descendre, j'envoie un texto à Élise.

Tu m'attends pour partir ? J'arrive !

# SORTIE DE SECOURS

Sans perdre davantage de temps, je vais à la cuisine. J'y prends une pomme et une barre tendre, que je glisse dans mon sac à main. Puis, craignant que mon père ne revienne avant mon départ, j'attrape ma veste et sors de la maison en prenant bien soin de verrouiller derrière moi.

***13 h 10***

La mère d'Élise nous dépose au métro Longueuil.

– À plus tard, les filles ! nous salue-t-elle alors que nous quittons la voiture.

Je lui souris en refermant la portière derrière moi. Je ne lui ai rien dit. Ni que mes parents avaient décidé de divorcer ni que je suis punie pour deux semaines. Parce que, si elle avait su, jamais elle n'aurait accepté de me conduire au métro. Quand même, je me sens mal ; quelque part, j'ai l'impression de trahir sa confiance. J'espère seulement que, lorsqu'elle comprendra que je suis partie, ma mère ne s'en prendra pas à elle. Je n'ai pas non plus prévenu Axel de ma visite. J'ai pensé que ce serait drôle, de lui réserver la surprise.

Nous arrivons chez les garçons une trentaine de minutes plus tard. Max, en jean et t-shirt, les cheveux en bataille, vient nous accueillir à la porte. Après avoir embrassé passionnément Élise, il me fait la bise.

– Salut, Raph, dit-il. Je pensais pas te voir aujourd'hui. Je pensais que...

– Mes parents savent pas que je suis ici, dis-je d'emblée, décidant spontanément de jouer la carte de l'honnêteté.

– Euh... OK. C'est juste que...

Il semble mal à l'aise, subitement. Pour ma part, je cherche Axel du regard.

– Il est retourné se coucher, m'apprend Max, répondant à mon interrogation muette. Il est sorti, hier soir...

Je suis un peu déçue. J'ai l'impression d'avoir manqué mon coup, avec ma surprise. C'est alors que je vois, tout au fond du couloir, la porte de sa chambre s'entrouvrir.

– Ma chérie ?..., demande doucement Axel, l'air endormi, pointant sa tête dans l'embrasure.

Oubliant aussitôt le monde autour, mes soucis, la colère de ma mère, la tristesse de mon père, ma punition, le malaise de Max et tout le reste, je m'avance vers lui, un timide sourire aux lèvres. Je me coule dans son antre comme si j'y étais aspirée. Il referme la porte derrière moi et, tout en m'enlaçant, laisse tomber au sol le drap qui le couvrait. Je suis dans ses bras, mes lèvres cherchent les siennes, sa main droite caresse ma nuque tandis que la gauche glisse sous mon chandail. Il est nu ; je sens son sexe durcir contre mon ventre et, comme si nous flottions à quelques centimètres du sol, nous nous dirigeons vers son lit. Au milieu des draps en bataille, il soulève mon chandail, pose ses lèvres sur mon abdomen. Prise du besoin soudain de me retrouver nue contre lui, j'enlève mon t-shirt, défais l'agrafe de mon soutien-gorge. Avec délicatesse, il retire celui-ci, embrasse doucement ma poitrine. Je n'ai pas peur ; c'est comme si tout, avec lui, était naturel. Ses mains contre ma peau sont chaudes et douces, et je sens un immense désir m'envahir. Il s'allonge contre moi, ses lèvres soudées aux miennes, mes mains caressant ses cheveux, parcourant son dos, la courbe de ses fesses. Il fait descendre la fermeture éclair de mon jean, que je m'empresse d'ôter tandis qu'il ouvre le tiroir de sa table de chevet et en sort un condom.

– Si t'es pas prête, c'est pas grave... Je suis pas pressé, me murmure-t-il à l'oreille.

En guise de réponse, je pose la main sur son sexe, le touche d'une main hésitante. Sa respiration s'accélère tandis qu'il déchire l'enveloppe du condom. Un instant plus tard, nous reprenons nos caresses. J'avais toujours cru que ma première fois ne serait pas agréable, que je me sentirais effrayée, que ça ferait mal, que ça ressemblerait, en somme, à un mauvais moment à passer. Je réalise aujourd'hui que je m'étais trompée.

### *16 h 05*

Mes parents m'ont déjà appelée trois fois, mais je n'ai pas répondu. Mieux que ça, j'ai éteint la sonnerie de mon cellulaire. De toute façon, à cette heure, ma mère doit déjà avoir communiqué avec celle d'Élise pour savoir si j'étais chez elle. Nul doute que celle-ci lui a dit qu'elle nous avait conduites au métro Longueuil quelques heures plus tôt. Ma mère doit être hors d'elle. Je l'imagine à la maison, faisant les cent pas, le téléphone à la main. De mon côté, je suis assise dans le salon avec Axel, Élise, Max et Ben, une bière devant moi. Un, puis deux joints passent ; je suis tellement gelée que je ne sens plus ni mes jambes ni mes bras. Et puis, tout me fait rire : les blagues de Ben, la façon dont Max hoche la tête au son de la musique, les questions d'Élise, qui comprend tout de travers.

– Ma mère va venir nous chercher ici dans une heure, me dit-elle justement en me donnant un coup de coude.

– Hum, hum...

– Il faudrait pas qu'elle sache qu'on a fumé. Elle est cool, t'sais, mais peut-être pas à ce point-là.

En guise de réponse, je me contente de sourire. En d'autres circonstances, j'aurais tout fait pour rassurer mon amie, j'aurais pris les choses en main. Mais, en ce moment, j'en suis bien incapable.

– OK. Oublie ça, abdique-t-elle enfin tandis que Max lui tend la main.

Après avoir dansé avec Élise, Max, qui vient de se rasseoir, se relève d'un coup et se tourne vers Axel.

– Tu devais pas travailler, ce soir ? lui demande-t-il d'un ton brusque.

– Euh... ouais, ben je pense que je vais *caller* malade, répond avec nonchalance mon amoureux en m'entourant de son bras. Malade d'amour, ajoute-t-il en rigolant.

Je souris, mais un malaise m'envahit lorsque je vois de l'irritation dans les yeux de Max, qui sort rapidement de la pièce. Élise s'empresse de le suivre. La sonnerie du téléphone me fait sursauter. Ben étire le bras et attrape l'appareil, posé sur une table basse près du fauteuil dans lequel il est assis.

– Un instant, dit-il avant de tendre le combiné à Axel.

À son tour, Axel va discuter dans la cuisine. J'en profite pour me rendre à la salle de bain. Le miroir me renvoie l'image d'une fille aux cheveux en désordre, aux joues rougies et aux yeux vitreux. J'ai l'impression de n'être plus vraiment moi-même... D'abord, je désobéis à mes parents en quittant la maison, alors que non seulement je n'en ai pas la permission, mais que je suis privée de sorties ; je fais l'amour pour la première fois sans en éprouver de gêne ou me poser de questions ; et puis, me voilà tellement gelée que les objets autour de moi semblent tous aussi incongrus et irréels les uns que les autres.

En tendant l'oreille, il me semble entendre, de l'autre côté du mur, la voix de Max. Je colle la tête contre la cloison.

– Axel a pas payé sa part du loyer depuis trois mois, dit-il avec colère. Pis là, il est même pas foutu d'aller travailler.

– Tu vas faire quoi ? demande doucement Élise.

– Ben c'est plate, mais, s'il me paye pas aujourd'hui ses loyers en retard, je vais être obligé de le mettre dehors.

Je reste un instant encore à mon poste d'écoute puis, comme la conversation entre Max et Élise semble terminée, je vais au lavabo et m'asperge le visage d'eau fraîche. Moi qui avais l'impression que la colocation de Max, Axel, Ben et Nicolas était idyllique, je tombe de haut. Que va-t-il se passer si Max met Axel dehors ? Si celui-ci n'a pas d'argent pour sa part du loyer, il ne pourra certainement pas se payer un logement ailleurs... Retournera-t-il vivre chez ses parents ? Pleine d'appréhension, je ferme les robinets et sors de la salle de bain. Dans le couloir, Élise, qui vient de surgir de la chambre de Max, m'attrape par le bras.

– Ma mère m'a textée. Je sais pas pourquoi, mais elle va venir nous chercher plus tôt que prévu. Elle va être ici dans dix minutes ! m'apprend mon amie, de la panique dans la voix.

Comme je ne réagis pas, elle me secoue un peu.

– Allô, Raph ? T'as l'air super *stone*, c'est sûr qu'elle va s'en apercevoir !

Je souris tandis qu'Axel nous rejoint. Il m'enlace, dépose un tendre baiser sur mes lèvres. J'en oublie d'un coup tous mes soucis. Sentant qu'elle s'impatiente, je me tourne vers Élise.

– J'avais décidé de dormir ici, de toute façon...

– Ben voyons donc, Raph ! Ta mère va virer folle si tu fais ça !

Axel, après m'avoir embrassée dans le cou, se dirige à pas légers vers sa chambre. Je voudrais l'y suivre, mais Élise me retient.

– Raph, insiste-t-elle, si tu viens pas, ta mère va me poser plein de questions pour savoir où t'es. Et puis, de toute façon, la mienne a l'adresse, alors...

Les mots sortant de la bouche d'Élise s'envolent et vont se perdre quelque part dans le blanc des murs du couloir. Je n'arrive tout simplement pas à me concentrer. Pire ; malgré l'air sérieux de mon amie, j'ai envie de rire. S'en apercevant, Élise lâche mon bras, manifestement découragée.

– Ah ! pis laisse faire, Raphaëlle ! Tu t'arrangeras avec tes problèmes !

Visiblement fâchée, elle tourne les talons et regagne le salon. Pour ma part, je vais rejoindre Axel dans sa chambre. Assis à sa table de travail, il est en train de se préparer une ligne de cocaïne. Il me fait signe de m'asseoir sur ses genoux. Je m'exécute.

– T'en veux ? me demande-t-il.

Désorientée, j'hésite. Je me sens déjà très *stone*, mais on dirait que j'ai envie d'aller encore plus haut, comme si voler au-dessus de mon corps plutôt que de l'habiter pourrait me décharger du poids que j'ai l'impression de porter sur mes épaules. Pourtant, quelque chose me retient encore au sol.

– Non, merci, décidé-je, sentant le rouge me monter aux joues.

– C'est correct. Je respecte ça, t'sais.

La jeune fille sage et raisonnable en moi voudrait avoir le courage de lui dire qu'il ne devrait pas en prendre lui non plus, mais, penchant son corps de façon à contourner le mien, il inhale la poudre blanche. Une minute plus tard, on cogne à la porte. Je me lève d'un bond tandis qu'Axel range prestement sa drogue.

– Raphaëlle ! crie Élise, de l'autre côté du battant. Ma mère est arrivée... et la tienne est avec elle, ajoute-t-elle avec dépit tandis que j'ouvre.

– Pis ça me tente pas qu'elle vienne te chercher elle-même, lance Max en se postant derrière mon amie. Ça fait que...

Ma légèreté s'envole d'un coup ; que puis-je contre ma mère ? Si je ne suis pas Élise, elle montera me chercher, quitte à m'emmener de force.

Axel s'approche, prend ma main dans la sienne, la serre très fort. Nos yeux se rencontrent l'espace d'un instant, mais un toussotement exagéré de Max a tôt fait de nous ramener à la réalité.

– *Let's go*, les filles, dit-il avec impatience. On va se reprendre une autre fois...

Les garçons nous accompagnent jusqu'à l'entrée. Le cœur gros, j'embrasse Axel, l'enlace.

– Je t'aime, me murmure-t-il à l'oreille.

* *
*

Nos mères nous attendent dans la voiture de celle d'Élise, garée juste en bas de l'immeuble. En descendant l'escalier, je croise le regard de la mienne, assise du côté passager. Cela suffit à faire jaillir en moi une appréhension glacée et, soudain, malgré que je vienne de faire l'amour pour la première fois, je redeviens une petite fille de six ans qui craint les représailles.

Le trajet se déroule dans un silence angoissant, digne des meilleures séances de bouderie de ma mère. En même temps, je préfère qu'elle m'ignore, car, si elle me questionnait, si elle posait les yeux sur moi, elle devinerait probablement que j'ai fumé. À quelques reprises, je me tourne vers Élise, espérant une expression encourageante, ou du moins complice, de sa part, mais elle garde obstinément son visage orienté vers sa vitre. Je n'ai pas besoin de plus pour comprendre qu'elle est fâchée contre moi.

Lorsque nous arrivons à la maison, ma mère monte à sa chambre sans un mot. Décontenancée, je reste debout près du piano. Je l'entends claquer la porte, puis plus rien. Cela m'inquiète ; au moment de la discussion que nous aurons inévitablement, sa colère n'en sera que plus grande. Avec ma mère – j'ai l'habitude –, il n'y a pas d'exceptions, il n'y a pas de cadeaux. Tout n'est toujours que partie remise.

Un bruit provenant du bureau de mon père attire mon attention. À pas feutrés, comme si je redoutais de marcher sur une mine, je m'y dirige. Debout près de la bibliothèque, il est en train de mettre des livres dans une boîte. Je me rends compte que, l'espace d'un après-midi, dans les bras d'Axel, je suis arrivée à oublier que mes parents divorcent, que mon père va partir de la maison pour aller vivre en appartement, et que moi, je vais me retrouver quelque part entre les deux...

– Raphaëlle, dit-il simplement en m'apercevant.

Son ton est posé, presque doux. Je m'approche, m'avançant parmi les boîtes dispersées dans la pièce.

– On était inquiets, ta mère et moi, ajoute-t-il d'une voix sérieuse, mais sans agressivité.

Il soutient mon regard et, autant par honte que parce que j'ai peur qu'il voie que j'ai fumé, je baisse les yeux.

– Je m'excuse, papa, soufflé-je tout bas.

– C'est qui, ces garçons chez qui vous étiez ?

– On était chez Max, Ben, Nico et... Axel. Max, c'est le chum d'Élise et Axel... eh bien... c'est le mien.

Mon père suspend son mouvement, me dévisage. Un demi-sourire se dessine sur ses lèvres.

– T'as un chum ? Depuis combien de temps ?

– Juste une semaine. Mais c'est comme si ça faisait beaucoup plus longtemps...

Il s'assoit sur une boîte, m'invite à venir m'installer près de lui. J'espère qu'il ne me servira pas le traditionnel discours de parents d'adolescents sur l'importance de la « première fois », de bien choisir son partenaire, de se respecter, de se protéger, etc. Parce que, si c'est ça, non seulement ça va me mettre mal à l'aise, mais il est trop tard. Mon père se contente de me fixer, les larmes aux yeux.

– J'ai trouvé un appartement, déclare-t-il. Je déménage demain.

Je ne sais que dire. J'ai l'impression d'assister, impuissante, à la fin du monde tel que je le connaissais jusqu'à tout récemment. Le monde, MON monde. Quant à mon père, je crois que jamais encore je ne l'avais vu si fragile. Il m'ouvre les bras et, comme lorsque j'étais petite, je pose la tête contre sa poitrine. Il me caresse le dos de ses mains chaudes. Je ferme les yeux. Nous restons ainsi un moment puis, sans un mot de plus, je le laisse à ses boîtes et, profitant du fait que ma mère est toujours enfermée dans sa chambre, je m'allonge sur mon lit, sur le point de sombrer dans le sommeil.

### *Lundi 19 septembre, 6 h 36*

Je me réveille en sursaut d'une nuit lourde et sans rêves, puis, réalisant qu'il est encore tôt, je referme les paupières. Comme tous les matins depuis que je connais Axel, mes premières pensées vont vers lui. Je pose les mains sur mes seins en m'imaginant que ce sont les siennes, je caresse mon ventre, mes cuisses, tentant de retrouver la chaleur et la tendresse de notre première fois. Et je souris, je frôle l'oreiller comme s'il s'agissait de son visage, de sa peau que j'aime déjà tant.

Sans bruit, je me lève, me rends à mon bureau et allume mon ordinateur.

> Bonjour, mon beau cowboy,
>
> J'ai rêvé de toi cette nuit et rêverai encore de toi toute la journée. Ma mère n'a toujours pas prononcé sa sentence ; elle me fait la guerre du silence.
>
> Je t'aime
>
> Raphaëlle

Je rabats doucement l'écran de mon ordinateur et retourne sous ma couette. Je tente de me rendormir, mais je n'arrive plus à trouver le sommeil. À sept heures, je me lève et gagne la salle de bain sans croiser ma mère. La porte de sa chambre est fermée ; j'imagine qu'elle dort encore. Je trouve ça bizarre, mais je ne me pose pas davantage de questions. Après avoir pris ma douche, je m'habille et descends pour déjeuner.

Dans la cuisine déserte, je me sers un verre de jus et, pendant que mes tranches de pain rôtissent, je me dirige vers le bureau de mon père, passe la tête par l'embrasure de la porte. Il n'y est pas, mais, dans un coin de la pièce, ses boîtes n'attendent que son retour ; je suppose qu'il déménagera en fin d'après-midi, après son travail. À cette idée, une grosse boule de peine se forme dans ma gorge et je sens des larmes me picoter les yeux. Alors que je retourne à la cuisine, j'entends des pas dans l'escalier. Ma mère est là, descendant tranquillement les marches, la tête haute, avec... mon ordinateur entre les mains. Elle le dépose sur le comptoir tandis que, médusée, je la regarde faire.

– Cellulaire, m'ordonne-t-elle avec un petit mouvement de la main.

Comme je reste immobile, à fixer mon ordinateur, elle reprend, d'un ton glacial :

– Donne-moi ton cellulaire.

Voilà. Pour me punir, elle a décidé de me couper du monde extérieur. Je lui tends mon téléphone, qu'elle dépose sur mon ordinateur, l'air plutôt satisfait.

– Pour un mois, pas de sorties, pas d'amis, pas de téléphone ni d'ordinateur. Ça t'apprendra à faire la maligne.

Quoi ? Elle veut me tuer ? Je comprends qu'à ses yeux je mérite une conséquence, mais, rendu là, c'est carrément de la maltraitance. J'aurais envie de crier, de me jeter sur elle et de lui tirer les cheveux, ses beaux cheveux toujours impeccablement placés. Au lieu de ça, je me contente de monter l'escalier d'un pas rageur en me demandant si elle poussera l'affront jusqu'à exiger mes mots de passe afin de lire tous les messages que j'ai pu envoyer ou recevoir au cours des derniers mois.

Je claque la porte de ma chambre et y reste enfermée jusqu'à ce que, par la fenêtre, je voie sa voiture reculer dans l'entrée puis s'éloigner.

***8 h 44***

Dans l'autobus scolaire, Élise, comme hier dans la voiture de sa mère, m'ignore. Je décide de faire comme si de rien n'était.

– Ma mère m'a privée de sorties pour un mois. À part ça, elle a confisqué mon cell ET mon ordinateur, me lamenté-je tandis qu'elle se tourne vers moi.

– Tu savais à quoi t'attendre... Ta mère a toujours été super sévère, lance-t-elle d'un ton sec.

Je sens les larmes me monter aux yeux. Si ma meilleure amie est incapable de me comprendre, à qui vais-je bien pouvoir me confier ? Je hausse les épaules.

– Ben là, quand même, c'est un peu exagéré, non ? que j'insiste d'une voix mal assurée.

– Tu sais que ton chum a des problèmes de drogue ? demande-t-elle en ignorant ma question. Tellement qu'il est même plus capable de payer son loyer... Sérieusement, Raphaëlle, poursuit-elle sans me laisser le temps de placer un mot, si j'étais toi, je m'embarquerais pas dans une relation avec lui.

*Quoi ? Vient-elle vraiment de me dire ça ?*

– Ben voyons donc ! Axel est pas un drogué, riposté-je à voix basse. Il prend de la coke une fois de temps en temps, pour le fun. Je pense que Max et toi, vous capotez pas mal pour rien.

Le véhicule se gare dans la cour d'école. En colère, je me lève sans attendre Élise et me dirige vers la sortie.

***12 h 15***

Tandis qu'au bout de la table, Isabelle et Pedro se bécotent, Élise, Chloé et Thomas discutent avec entrain du dernier épisode de je ne sais trop quelle série. Élise et moi ne nous sommes pas reparlé depuis que nous sommes descendues de l'autobus scolaire. On dirait bien que nous sommes officiellement en chicane. Est-ce que les autres l'ont remarqué ? Comme je n'en ai pas l'impression, je décide de faire comme si tout ça ne m'affectait pas et je m'efforce de manger ma salade au thon. Cependant, après trois ou quatre bouchées, je ne peux m'empêcher de déposer ma fourchette et de repousser mon plat d'une main agacée. J'ai beau vouloir feindre que tout va bien, j'ai la nausée. Je soupire, ce qui attire l'attention de Thomas, assis en face de moi.

– Ça va, Raph ?

Non, mais, sérieusement, est-ce que j'ai l'air d'aller bien ? Est-ce que je semble, en ce moment même, habiter mon corps avec joie et légèreté ? J'aurais envie de hurler, de prendre tout ce qui se trouve sur la table et de l'envoyer valser aux quatre coins de la cafétéria. J'aurais envie de me rendre au bureau de ma mère, la célèbre avocate Audrey Dumas, et, devant témoins, de lui fracasser la tête contre l'écran de son ordinateur. J'aurais envie de crier après Élise, de lui dire que non, mon chum n'est pas un *junkie* et que, de toute façon, je l'aime ! Mais Thomas n'y est pour rien, alors je me contente de hocher, sans conviction, la tête.

– Qu'est-ce qui se passe ? insiste Chloé, pas du tout convaincue par ma tentative d'éluder la question de Thomas. T'as l'air bizarre depuis ce matin. Pis toi aussi, ajoute-t-elle en se tournant vers Élise. Vous vous êtes chicanées, ou quoi ?

J'ai toujours admiré le flair de Chloé. Mais j'avoue que là, j'aurais préféré qu'elle se taise ; je n'ai aucune envie d'exposer ma vie à tout le monde. Connaissant cependant mes amis et leur curiosité légendaire, je sais que, tôt ou tard, je n'aurai d'autre choix que de vider mon sac. Aussi bien le faire tout de suite.

Pendant les minutes qui suivent, je leur raconte dans un premier temps que mes parents ont décidé de divorcer puis, comme si ce n'était pas assez, j'enchaîne avec mes péripéties de la fin de semaine s'étant terminées ce matin, alors que ma mère, en plus de m'interdire de sortir, a confisqué mon ordinateur ainsi que mon téléphone. Je n'omets aucun détail à part le fait qu'Axel et moi avons fait l'amour pour la première fois. Par pudeur, certes – après tout, nous nous trouvons dans la cafétéria d'une école secondaire –, mais surtout parce que les grands yeux bruns de Thomas me fixent d'une façon qui me met mal à l'aise. Déjà qu'il prend un air boudeur chaque fois que je parle de mon chum, pas la peine d'en rajouter.

– Et votre chicane ? demande Isabelle en nous observant à tour de rôle, Élise et moi, lorsque j'ai fini de narrer mes mésaventures. C'est à cause de ça ?

– Élise pense que j'aurais pas dû désobéir à ma mère et, aussi, qu'Axel est pas assez bien pour moi, expliqué-je d'un ton sarcastique sans laisser à ma meilleure amie le temps de réagir.

Tous les regards se tournent vers cette dernière.

– Ce qu'elle dit pas, commence-t-elle en se tournant vers moi, c'est que son Axel est un *junkie*. Eille ! Il passe ses soirées à *sniffer* de la coke, ajoute-t-elle méchamment.

Tous les regards se tournent maintenant vers moi.

– C'est vrai, ça, Raph ? veut savoir Pedro.

– Ben voyons donc ! C'est n'importe quoi ! que je m'écrie avant de me lever et de quitter précipitamment la table.

Quelques minutes plus tard, Chloé vient me rejoindre à ma case.

– Je te préviens tout de suite, lui lancé-je, j'ai pas le cœur à me faire faire la morale.

Elle soupire.

– Écoute, je veux pas te juger, mais, quand même, es-tu sûre qu'Axel est un bon gars pour toi ?

– Axel est pas un drogué, Chlo. Il aime juste ça faire la fête de temps en temps.

Elle me considère, l'air suspicieuse. La cloche va bientôt sonner ; je n'ai plus de temps à perdre. Il faut absolument que je parle à Axel pour le mettre au courant de la situation et lui annoncer que, désormais, je ne serai plus aussi facilement joignable.

– Me prêterais-tu ton cell cinq minutes ? que je demande à mon amie.

Sans un mot, elle le sort de sa poche et me le tend.

– Tu viendras me le porter à ma case, se contente-t-elle de m'indiquer en s'éloignant.

# SORTIE DE SECOURS

**16 h**

Les cours sont finis, je suis en train de ramasser mes affaires lorsque Thomas m'interpelle.

– Oh, salut, Tom ! dis-je sans grand enthousiasme.

Je m'attends à ce qu'il aborde le sujet de la discussion de groupe que nous avons eue ce midi, mais non.

– J'ai pensé que, comme t'as pas le droit de sortir, commence-t-il en s'avançant vers moi, je pourrais venir chez toi un de ces soirs. T'auras qu'à dire à ta mère que je t'aide à répéter ton piano...

Me remémorant la dernière fois où Thomas est venu à la maison et le malaise que j'ai éprouvé lorsque sa main a effleuré la mienne, j'hésite.

– Euh... Oui, peut-être, soufflé-je évasivement. Mais tu sais, en ce moment, avec mon père qui déménage, j'ai pas trop la tête au piano.

– On pourrait faire autre chose, alors, propose-t-il en se rapprochant encore un peu de moi et en replaçant une mèche de mes cheveux derrière mon oreille.

Tout en mettant mon sac sur mon dos, je fais un pas vers l'arrière.

– On s'en reparle, OK ? Faut que j'y aille...

– OK. À demain..., lâche-t-il d'un ton déçu tout en me regardant m'éloigner.

Sans me retourner, je lui envoie un petit signe de la main. Je sais que je lui fais de la peine, mais je n'y peux rien. Le cœur gros, je poursuis mon chemin.

***Mardi 20 septembre, 8 h 37***

Dans l'autobus, Élise et moi nous assoyons sur deux banquettes différentes. Certes, ce n'est pas la première fois que ça arrive – toutes les meilleures amies ont des mauvais jours –, n'empêche, ça me brise le cœur. D'habitude, nous discutons joyeusement tout au long du trajet ; aujourd'hui, celui-ci me semble interminable.

En me rendant à ma case, je croise Isabelle. Elle me salue du bout des lèvres avant de se diriger d'un pas rapide vers Élise, qui marche un peu plus loin derrière moi. Si ce n'était de Chloé, qui semble m'attendre, je me sentirais complètement seule au monde.

– T'as besoin de mon cell ? me demande-t-elle simplement.

– Merci, dis-je en le prenant et en naviguant vers ma boîte de courriel.

Mon cœur se met à battre un peu plus fort lorsque je vois qu'Axel m'a répondu.

Ma chérie,

Je suis vraiment désolé pour toi. Ça va mal de mon côté aussi. J'ai perdu ma job au resto et Max a décidé de me mettre à la porte de l'appart. En attendant de me trouver un nouveau logement, je vais aller chez mon ami Vincent. J'y serai dès ce soir. Je te laisse le numéro : 514 555-0178. Appelle-moi ! Tu me manques tellement ! Je pense à toi jour et nuit.

Axel xxx

Je rends son appareil à Chloé, pratiquement en état de choc. Comment Axel pense-t-il pouvoir se permettre un nouveau logement si, depuis des mois, il n'arrive pas à payer sa part de loyer ? En plus, il n'a même plus de travail... Éprouvant jusqu'au plus profond de mon être l'urgence de la situation, je voudrais lui parler tout de suite. Non, je voudrais plutôt le voir, le serrer très fort dans mes bras.

La journée s'écoule, aussi interminable que le trajet en autobus du matin et que la période du dîner où je sens bien, même si mes amis font semblant que tout est normal, qu'un indicible malaise s'est installé entre nous. Par ailleurs incapable de me concentrer, j'ai bien peur d'avoir échoué à mon test de mathématiques. Tant pis. Tout ce qui me préoccupe est ce moment où je pourrai enfin appeler Axel, entendre sa voix, lui dire de ne pas s'en faire, que tout va bien se passer, parce que moi, je suis là.

## *16 h 08*

En descendant de l'autobus scolaire, je reconnais, garée dans l'entrée, la fourgonnette de Simon, le frère aîné de mon père. Je suppose qu'il est là pour l'aider à déménager. En entrant dans la maison, je les aperçois justement, tous les deux, en train de se préparer à faire un premier voyage vers le nouvel appartement.

– Héhé, la belle Raphaëlle ! lance mon oncle en m'apercevant. Comment ça va ?

– Ça va, prononcé-je d'un ton faussement joyeux. Et toi ?

– Ça va. Tu veux nous donner un coup de main ? propose-t-il alors que mon père vient vers nous, la mine triste.

– Bien sûr, dis-je en feignant l'enthousiasme et en faisant un câlin à ce dernier.

Le cœur lourd, je transporte donc, jusqu'à la fourgonnette de Simon, une dizaine de boîtes.

– Tu viens visiter mon nouvel appartement ? me demande mon père lorsque tout est entassé dans le véhicule.

– J'aimerais ça, mais j'ai un gros examen demain et je dois étudier avant de me rendre à mon cours de danse tout à l'heure.

La vérité, c'est que je tente de repousser le plus possible le moment fatidique où j'irai voir l'appartement de mon père et où cette réalité deviendra vraiment concrète, incontournable.

– OK, lâche-t-il en tentant de dissimuler sa déception. Tu veux un *lift* pour ton cours ?

– Non, merci. Je vais y aller à vélo.

Sans ajouter un mot, il me prend dans ses bras et me serre très fort contre lui. Je retiens mes larmes jusqu'à ce que la fourgonnette soit hors de vue.

* *
*

Avant de partir pour mon cours – et profitant du fait que ma mère n'est toujours pas rentrée du travail –, je tente de joindre Axel au numéro qu'il m'a laissé. Pas de réponse.

***18 h 50***

Comme le festival n'est plus que dans une semaine, nous consacrons le cours à répéter notre chorégraphie. Malgré ma bonne volonté et mon désir de plaire à madame Lacombe, je n'arrive pas à me concentrer. Continuellement décalée, j'amorce chaque mouvement avec un temps de retard. Je m'attends à ce que, d'un instant à l'autre, madame Lacombe demande au pianiste d'arrêter de jouer afin de me réprimander devant tout le monde et dans le silence le plus complet. Elle l'a déjà fait pour d'autres élèves, alors je ne vois pas pourquoi, aujourd'hui, j'y échapperais... Pourtant, malgré les coups d'œil agacés que me lancent mes consœurs, ma professeure n'interrompt pas le cours. Certes, elle me suit des yeux, mais son regard – pourtant sévère, d'habitude – est empreint d'une inquiétude toute maternelle.

La fin du cours est réservée à l'essayage des costumes. Tandis que les élèves surexcitées rigolent en les enfilant, je prends les devants et m'approche d'elle.

– Je suis désolée, madame Lacombe, je sais bien que j'étais pas à mon mieux ce soir, mais, voyez-vous, je me sens pas vraiment en forme, dis-je, surprise moi-même par la facilité avec laquelle j'arrive maintenant à mentir. D'ailleurs, j'aimerais si possible utiliser votre téléphone pour appeler mon père afin qu'il vienne me chercher tout de suite...

Avec un demi-sourire, madame Lacombe me fait signe d'aller téléphoner dans son bureau. Sans plus attendre, je m'y dirige et ferme la porte derrière moi. L'ayant appris par cœur, je compose d'un doigt tremblant le numéro de l'ami chez qui Axel doit présentement se trouver. Ça sonne une fois, deux fois, puis...

– Allô ?

– Bonjour. Est-ce que je pourrais parler à Axel, s'il vous plaît ?

– Un instant, répond celui que je suppose être son ami Vincent.

Quelques secondes plus tard, Axel prend le combiné. J'ai envie de pleurer lorsque j'entends sa voix, sa voix que j'espère depuis tant d'heures déjà. Mon amoureux m'explique brièvement la situation, me spécifiant qu'il ne pourra rester chez Vincent que deux ou trois jours seulement.

– Et après ? demandé-je, pleine d'inquiétude.

– Après ? Je sais pas...

Il ne m'en faut pas davantage pour prendre ma décision. Après avoir demandé à Axel de venir me chercher au métro Berri à vingt et une heures, je raccroche et m'empresse de courir au vestiaire me changer et prendre mon sac à dos, dans lequel j'ai déjà glissé ma brosse à dents ainsi que quelques vêtements de rechange.

# DEUXIÈME PARTIE

# - 5 -

***Vendredi 23 septembre, 16 h 40***

Ça fait maintenant trois jours qu'Axel et moi vivons chez Vincent, pratiquement cachés dans une petite chambre blottie entre la cuisine et la salle de bain. Trois jours que je ne suis pas rentrée chez moi, que mes parents, mes amis et même la police me cherchent. Sur les réseaux sociaux, on peut voir ma photo ainsi que la description de ce que je portais lorsque j'ai « disparu ». Je me demande qui a parlé aux policiers, qui leur a dit que, ce jour-là, je portais des leggings et un t-shirt noirs, une jupe rouge, une veste en jean. Qui a parlé du chignon que j'arborais ce matin-là, de mes bottines noires, du fait que, normalement, j'aurais dû regagner la maison vers vingt heures, après mon cours de ballet ? Élise ? Mon père ? Sûrement pas ma mère, en tout cas. Quoi qu'il en soit, je ne sais pas trop comment je devrais me sentir. Au fond, cette photo, je n'ai pas l'impression que c'est la mienne ni que c'est réellement de moi qu'on parle. On dirait que je suis devenue une autre personne en trois jours.

Je voudrais faire savoir à mon père et à mes amis, qui doivent être fous d'inquiétude, que je vais bien, que je suis en sécurité. Mais je me doute bien que, si je contacte qui que ce soit, on risque de remonter la piste et la police débarquera ici. Pour moi, ce sera alors le retour à la case départ : l'école, les cours, le tutorat, le piano, le divorce de mes parents, puis, surtout, ma mère toujours sur mon dos et cette impression si pénible de ne jamais être à la hauteur.

Axel et moi passons tout notre temps ensemble. Allongés sur « notre » lit, nous apprenons à nous connaître. Nous nous caressons, nous faisons l'amour et nous parlons beaucoup. La nuit, nous dormons à peine ; Axel, à cause de la coke, et moi, à cause de lui, de mon amour fou pour lui. Alors, sous le couvert de l'obscurité et jusqu'à l'aube, nous sortons, déambulant dans les rues telles deux ombres amoureuses. Axel prend des photos. Je suis à la fois sa muse et son apprentie. Il me montre à manipuler son appareil, à composer des images. Tout doucement, loin de ma réalité, je me découvre une nouvelle passion.

Parfois, Vincent vient cogner à la porte de « notre » chambre. Il veut savoir si Axel a trouvé un nouveau travail, un nouveau logement, et quels sont nos projets à court terme. Il est super gentil, Vincent, mais je vois bien que chaque jour qui passe sans que nous ayons entrepris quoi que ce soit le rend un peu plus impatient. C'est ainsi qu'en cette fin d'après-midi, alors qu'accoudés à la fenêtre nous venons tout juste d'éteindre un joint, il nous lance un ultimatum :

# SORTIE DE SECOURS

– OK, les tourtereaux. Je vous laisse encore vingt-quatre heures pour vous trouver un nouveau nid d'amour. Après, vous irez où vous voudrez, je tiens vraiment pas à le savoir.

Tandis que Vincent referme la porte derrière lui, Axel et moi nous regardons, muets de stupeur. Certes, nous savions bien que ce moment allait arriver tôt ou tard, mais, malgré tout, nous sommes pris au dépourvu. À part Vincent et ses anciens colocs, Axel, qui a coupé les ponts avec sa famille il y a deux ans déjà, n'a personne chez qui se réfugier. Et, comme nous ne travaillons pas ni l'un ni l'autre, nous n'avons pas d'argent non plus. J'ai bien des économies à la banque – qui nous permettraient de nous payer quelques mois de loyer –, mais qui voudrait louer un logement à deux jeunes sans emploi, dont une fugueuse de seize ans ?... L'esprit plongé dans un brouillard opaque, je ressens soudainement l'urgence de prendre l'air.

– On va marcher ? que je propose à Axel.

– Maintenant ? s'exclame-t-il. Il fait encore clair, on pourrait te reconnaître...

Il a raison ; tandis qu'il s'assoit sur le lit, j'enfile son kangourou, mes lunettes fumées, et je décoiffe mes cheveux afin qu'ils recouvrent partiellement mon visage.

– Je suis correcte comme ça, non ? que je demande en m'approchant de lui.

Pour toute réponse, il tend la main vers moi, attrape mon poignet.

– Reste ici, mon bébé... Reste avec moi, me dit-il en tentant de m'attirer vers lui.

Je me penche, l'embrasse tendrement sur les lèvres.

– Je reviens bientôt, que je murmure à son oreille.

Puis, sans me retourner, je sors. Un instant plus tard, je suis dans la rue. Sous les chauds rayons du soleil, je marche, sans destination précise, la tête basse et les mains dans les poches. L'esprit dans la brume, j'ai la désagréable impression que tout m'échappe. Suis-je en train de faire une erreur ? Devrais-je rentrer à la maison ? Après tout, personne ne me retient prisonnière, ici. Je n'aurais qu'à prendre le métro et à me diriger chez moi. Mais, si je faisais cela, qu'adviendrait-il d'Axel, de ma relation avec lui ? Plus jamais je n'aurais le droit de le voir, ça, c'est sûr. En fait, je pense que, si je réintégrais la maison, ma mère m'enfermerait dans ma chambre pour l'éternité. Soudainement, je regrette de ne pas être allée visiter l'appartement de mon père. Je ne sais même pas où il habite ! Peut-être pourrais-je lui donner un coup de fil à son travail ? Il y a une cabine téléphonique au coin de la rue. Je fouille dans ma poche, y trouve un peu de monnaie, suffisamment pour faire un appel. Je presse le pas, m'approche de la cabine. Mais, au moment où je m'apprête à y pénétrer, j'aperçois une voiture de police stationnée de l'autre côté de la rue. Le cœur battant à tout rompre, je continue mon chemin en affichant l'air décontracté de celle qui sait où elle s'en va. Cependant, dès que la voiture est hors de vue, je m'empresse de retourner chez Vincent.

Axel accourt aussitôt que je pose le pied dans la maison. Nous nous jetons dans les bras l'un de l'autre comme si nous venions de passer deux semaines sans nous voir.

– Excuse-moi, m'écrié-je, des trémolos dans la voix et sans trop savoir pourquoi.

Sans rien dire, il me serre très fort contre lui. Puis, main dans la main, nous nous dirigeons vers « notre » chambre. Une bouteille de vin mousseux est posée sur la table de chevet.

– J'ai trouvé ça dans le frigo, annonce-t-il en nous en servant chacun un verre.

– Mais... c'est à Vincent... On peut pas la boire sans sa permission, objecté-je sans grande conviction.

Ignorant ma réflexion, Axel s'approche, me tend un verre. Nous trinquons avant de nous embrasser longuement. Puis, sans avertissement, les larmes se mettent à couler de mes yeux.

– C'est dur, au début, la liberté, compatit-il en me faisant asseoir sur le lit. Mais tu vas voir, on s'habitue.

Nous restons un moment enlacés ; je pleure tandis qu'il me caresse les cheveux. Puis, il se lève et, après avoir pris quelque chose dans son sac à dos, revient s'installer près de moi.

– Je sais que la coke, ça te dit rien, mais peut-être que tu voudrais essayer ça ? me propose-t-il en me montrant un minuscule sac de plastique dans lequel se trouvent quelques petits comprimés blancs.

– C'est quoi ? que je demande en séchant mes larmes.

– De l'ecstasy. C'est pas dangereux. Tu vas juste te sentir ben, ben relax.

Nous prenons chacun un comprimé. Puis, nous nous allongeons sur le lit en attendant que ça fasse effet...

***23 h 49***

Je me sens bien. Vraiment bien. Comme si j'étais moi en mieux, moi telle que j'ai toujours rêvé d'être. Drôle, intelligente, sexy, débordante d'assurance et d'énergie. C'est bizarre, mais j'ai l'impression que toutes mes sensations ont un goût et une couleur, que la musique brille un instant dans l'espace avant de venir se poser, telle une chaude pluie d'été, juste au-dessus de nos têtes, que, lorsqu'il me touche, Axel caresse directement mon âme.

Tout à l'heure, nous sommes allés à la pharmacie. Sur un coup de tête, j'ai acheté une teinture brune. En revenant chez Vincent, j'ai demandé à Axel de me couper les cheveux. Maintenant, je me regarde dans le miroir et je ne me reconnais pas. Une minute, j'adore ça et, l'autre, je panique. Je me dis que, de toute façon, je n'avais pas le choix de changer de look. Je me dis que, si elle me voyait en ce moment, ma mère ferait une crise de nerfs. Puis, je me dis que je ne dois pas penser à ma mère. Ma mère est derrière moi ; je suis libre, maintenant.

***Samedi 24 septembre, 10 h 32***

Quand je lui ai appris combien d'argent j'avais dans mon compte de banque, Axel a proposé qu'on aille passer la fin de semaine à l'hôtel. D'une manière ou d'une autre, il faut bien aller quelque part, étant donné que Vincent a exigé que l'on parte.

– Et, dès lundi, on se cherchera un appart..., me promet-il en serrant ma main dans la sienne.

Je me demande, encore une fois, qui va bien vouloir nous louer un appartement, mais je me tais. Cependant, je dois afficher un air sceptique, car il s'empresse d'ajouter :

– Et je me trouverai aussi une nouvelle job. Tu vas voir, mon bébé, on va se faire une belle vie, tous les deux.

Je me dis que oui, on va se faire une belle vie, tous les deux. Que c'est pour ça, au fond, que je suis partie de chez moi. Qu'Axel a plus d'expérience que moi, que tout va s'arranger, qu'il faut que je lui fasse confiance. Alors, nous prenons nos sacs et nous quittons l'appartement de Vincent.

Après une brève discussion, nous décidons de nous rendre au centre-ville, où il y a davantage d'hôtels et où je risque moins de me faire reconnaître. Avant de prendre le métro, Axel va voir un *dealer* qu'il connaît et dépense tout l'argent qu'il lui reste pour se procurer de la cocaïne, du pot et de l'ecstasy.

Nous descendons à la station McGill et nous dirigeons directement vers le centre Eaton. Nous passons d'abord au guichet automatique, où je retire une partie de mes économies. Axel me fait remarquer que les transactions bancaires peuvent servir d'indices aux policiers lorsqu'ils recherchent un individu, mais que, comme nous ne nous attarderons pas dans les environs, cela ne devrait pas avoir de conséquences. Je lui donne la moitié de l'argent et il glisse les billets verts dans sa poche en souriant, tandis que je mets le reste dans mon portefeuille. Puis, nous nous rendons dans une boutique, où je m'achète quelques vêtements, ainsi qu'à la SAQ et à l'épicerie, pour faire des provisions d'alcool et de nourriture. En fin d'après-midi, nous aboutissons dans un hôtel anonyme rue Peel, le genre d'endroit où je n'avais jamais mis les pieds avant.

À la réception, mon amoureux nous inscrit sous le nom de « monsieur et madame Bussières » et prétend que nous sommes à Montréal en voyage de noces. Je n'ai pratiquement pas dormi de la nuit et je me sens si fébrile que j'ai du mal à me retenir d'éclater de rire. Dans l'ascenseur, je me colle contre lui. En ce moment, je ne voudrais être nulle part ailleurs que dans ses bras.

# SORTIE DE SECOURS

***Lundi 26 septembre, 11 h 28***

La fin de semaine a été géniale. Au lit, nous avons fait des trucs que jamais je n'aurais cru pouvoir faire. C'est comme si toute ma gêne et toutes mes inhibitions s'étaient envolées d'un coup. Et puis, nous avons pris des bains interminables, mangé des sushis et regardé des films. C'était presque comme si nous étions réellement en voyage de noces. Être aussi amoureuse me fait quasiment peur...

***15 h 52***

Nous entrons dans un restaurant pour prendre une bouchée. Depuis que nous avons quitté l'hôtel, nous marchons, nos sacs sur le dos, tentant de repérer des affiches « à louer ». Nous avons pris quelques numéros de téléphone en note, et maintenant, comme nous ne possédons ni l'un ni l'autre de cellulaire, il faut trouver un téléphone public. Justement, il y en a un au fond du restaurant. Pendant qu'Axel commande, je m'y dirige. Je compose le premier numéro et tombe sur un répondeur. N'ayant pas de coordonnées à laisser pour qu'on nous rappelle, je raccroche. Le même scénario se produit pour le deuxième. Au troisième appel, j'arrive à parler à quelqu'un... qui m'apprend que le logement est déjà loué. Un peu découragée, je décide d'abandonner pour le moment et je rejoins Axel à la table.

– Pis ? demande-t-il avant de prendre une longue gorgée de la bière qui vient de lui être servie.

– Pas de réponse aux deux premiers numéros et le troisième appart est déjà loué, que je résume avant de prendre, à mon tour, une gorgée dans son verre.

Il soupire. Puis, il se lève et se dirige vers les toilettes. Lorsqu'il revient, il me semble déjà plus enthousiaste que lorsqu'il est parti. Par ailleurs, sa façon de renifler constamment ne trompe pas. Il me semble que, moi aussi, j'aurais bien besoin d'un petit remontant. Je me sens un peu déprimée, comme dans un creux de vague...

Le club sandwich que nous avons demandé arrive. Je n'ai pas tellement faim, mais je me force à manger un peu. Pour sa part, Axel commande une autre bière, qu'il boit à grands traits.

– Tu devrais manger, mon bébé, lui fais-je remarquer.

– J'ai pas faim. Mais mange, toi. Si tu finis pas, on va apporter le reste.

Je m'efforce d'avaler encore quelques frites, puis je fais signe à la serveuse que nous sommes prêts à partir. Après avoir réglé l'addition et pris le reste du club sandwich dans un sac pour emporter, nous sortons du restaurant.

### *20 h 18*

Il fait noir, maintenant, et nos recherches pour trouver un logement sont restées infructueuses. Dans un parc, nous partageons un joint avec un groupe de jeunes que nous venons de rencontrer. La fraîcheur commence à s'installer et je m'inquiète de savoir où nous passerons la nuit, mais Axel me promet qu'il trouvera une solution. Je lui fais confiance. De toute façon, je suis tellement gelée que j'ai du mal à mettre un pied devant l'autre. Au pire, monsieur et madame Bussières se paieront une autre chambre d'hôtel...

– On a un squat pas trop loin d'ici, lance une fille aux cheveux bleus en se tournant vers nous. Y a de la place pour vous deux, si vous voulez...

J'ignore ce qu'est un « squat », mais, comme ces jeunes sont cool, je suppose que ça doit être un endroit sympathique. Peut-être un genre d'auberge de jeunesse ? Axel me consulte du regard.

– Ça te dit qu'on aille avec eux ? C'est pas loin, pis ça nous coûterait rien.

– OK, bébé, si tu veux, acquiescé-je en enfouissant mon visage dans son cou.

– Viens, ma princesse, conclut-il en me prenant par la taille. Je t'emmène dans ton royaume.

Nous marchons pendant de longues minutes. Mon sac pèse une tonne et j'ai les jambes comme du coton. Nous arrivons enfin devant un bâtiment qui semble abandonné. Après avoir contourné un muret couvert de graffitis, nous pénétrons au rez-de-chaussée de l'immeuble. Il y a des jeunes allongés ici et là et d'autres, assis contre les murs, qui discutent, qui fument ou boivent de la bière. Je réalise vaguement que ces jeunes sont des itinérants et que le lieu où nous sommes n'a rien de bien chic. La fille aux cheveux bleus nous conduit dans un coin, où traînent deux matelas défraîchis et quelques couvertures. Je n'ai qu'une envie : me coucher et fermer les yeux. Je dépose mon sac à dos ainsi que mon sac à main par terre, au pied d'un des matelas, sur lequel je m'étends. Axel pousse son matelas contre le mien et s'allonge à son tour. Il me prend dans ses bras, me caresse doucement les cheveux. Un instant plus tard, je sens le sommeil m'emporter.

### *Mardi 27 septembre, 9 h 27*

Je suis réveillée par un rayon de lumière qui me caresse le visage. Gardant les yeux fermés, j'écoute les bruits environnants : la circulation automobile, de l'eau qui s'égoutte et, tout près, le souffle léger d'Axel. Je souris en posant une main sur sa hanche ; il est là, avec moi, et c'est tout ce qui compte. Tout à l'heure, quand il sera réveillé, on ira au restaurant, puis, je le sens, il se trouvera un travail. Peut-être même qu'on aura la chance de dénicher notre petit nid douillet. Je finis par ouvrir les yeux et je regarde autour de moi. Si, hier soir, les lieux me semblaient, bien que rustiques, tout de même confortables, je n'ai d'autre choix que d'admettre qu'en réalité il n'en est rien du tout. Tout, ici, n'est que saleté et délabrement : des déchets, dans lesquels fouillent des rats, traînent un peu partout ; quelques jeunes, aux cheveux et aux vêtements crasseux, dorment à même le sol ; et dans l'air flotte une odeur d'urine et de moisissure. Soudain, la nausée me prend ; il nous faut sortir d'ici au plus vite ! Je secoue doucement Axel.

– Mon bébé, réveille-toi !

M'assoyant sur ma couchette de fortune, je remarque que la fille aux cheveux bleus ainsi que ses amis semblent tous avoir disparu. J'étire le bras pour attraper mon sac à dos et, discrètement, je me change. Je ferai ma toilette au restaurant. Je cherche mon sac à main des yeux, mais ne le vois nulle part. En proie à un début de panique, je soulève les couvertures, les matelas, et même des boîtes et du papier journal traînant à proximité.

– *Shit* ! que je lâche spontanément.

– TA GUEULE ! me crie une fille au visage bouffi couchée à proximité.

Alerté par les éclats de voix, Axel se redresse d'un coup sec.

– Je me suis fait voler mon sac ! lui dis-je en baissant le ton.

– Ah *fuck*..., lance-t-il à son tour en vérifiant que son sac à lui se trouve bien au même endroit que la veille et en tâtant ses poches afin de s'assurer que ce qui reste de l'argent que je lui ai donné il y a quelques jours s'y trouve toujours. As-tu cherché partout ?

Maintenant debout, je regarde autour de moi. J'avoue que je n'ai aucune envie de faire des fouilles ici. De toute façon, la personne qui a pris mon sac est certainement déjà loin. Nous enfilons nos chaussures, ramassons nos sacs à dos et sortons. J'ai faim et je me sens étourdie. En silence, nous marchons jusqu'au parc où nous avons rencontré, hier, la fille aux cheveux bleus et sa bande. Les lieux sont maintenant déserts. Nous nous assoyons sur un banc. Je réalise que je n'ai plus rien, maintenant. Plus d'argent, plus de carte de guichet ni même la moindre pièce d'identité. Est-ce vraiment ça, la liberté ? Je sens la fatigue et le désespoir m'envahir. Tandis qu'Axel s'éloigne en direction d'un dépanneur situé en bordure du parc, j'aperçois une jeune femme qui se dirige vers moi. Arrivée à ma hauteur, elle me sourit.

– Salut, lance-t-elle tout simplement. Je peux m'asseoir ?

Je lui fais un signe de tête affirmatif et elle s'installe à côté de moi sur le banc.

– Je m'appelle Justine, poursuit-elle. Je suis travailleuse de rue. Je t'ai vue ici, hier soir... As-tu passé une bonne nuit ?

Je me tourne vers elle. Elle a de longs cheveux blonds, attachés en queue de cheval, et sa veste bleue fait ressortir ses yeux clairs. Elle a l'air gentille, mais je ne comprends pas pourquoi elle vient me parler. On jurerait qu'elle sait que je n'ai pas dormi chez moi.

– Euh... correcte, que je me contente de répondre.

– T'es partie de chez toi ? m'interroge-t-elle. On peut discuter, tu sais. Je veux juste m'assurer que t'as besoin de rien, ajoute-t-elle devant mon air buté.

– Je suis avec mon chum, révélé-je, de mauvaise grâce. Il est parti au dépanneur, il va revenir dans deux minutes. J'ai besoin de rien.

– Bon, ben OK. Je vais continuer ma tournée, alors. Je te laisse ça, m'annonce-t-elle en me tendant une feuille. C'est de l'information sur les refuges et les centres de jour où tu peux aller dormir, prendre une douche ou juste un repas. On donne aussi des condoms et des serviettes hygiéniques, si jamais tu en as besoin.

– Merci, soufflé-je en attrapant la feuille.

Elle se lève et me sourit une dernière fois avant de poursuivre sa route. Quelques secondes plus tard, je vois Axel qui marche vers moi.

– C'était qui, elle ? demande-t-il en s'assoyant à l'endroit où se trouvait Justine il y a un instant.

– Une travailleuse de rue. Elle m'a donné ça, dis-je en lui tendant la feuille.

Il la consulte rapidement avant de me la rendre.

– On a pas besoin de ça. On va se trouver un appart... Bon, t'as faim ? demande-t-il en se levant. On va déjeuner ?

Je me lève et le suis, mais, malgré mon amour pour lui, je ne peux m'empêcher de remettre en question ma décision d'avoir tout quitté pour le rejoindre. Ça ne me tente vraiment pas, la nuit prochaine, de dormir de nouveau parmi les rats et les déchets... Peut-être qu'on pourrait aller vivre chez mon père, tous les deux ? Comme mes parents ne souhaitent certainement que mon retour, je pourrais sûrement négocier certaines choses avec eux... Tout en réfléchissant à cette idée, je prends la main qu'il me tend.

– Il y a un Lafleur juste au coin de la rue. Viens, on va aller là.

***11 h 25***

Après avoir commandé au comptoir et payé nos déjeuners, je me dirige vers les toilettes. Le miroir me renvoie l'image d'une fille que je ne reconnais pas. Cheveux bruns courts, yeux rouges et cernés, teint blafard, lèvres sèches ; est-ce vraiment moi ? Je m'asperge longuement le visage d'eau froide, puis je maquille mes yeux, applique sur mes lèvres un peu de rouge, brosse mes dents et mes cheveux. Je regarde avec une tristesse mêlée de stupeur les quelques objets que je viens de sortir de mon sac et de déposer sur le comptoir. J'ai l'impression qu'ils sont tout ce qu'il me reste.

Lorsque je reviens à la table, nos déjeuners sont déjà arrivés. Je mange avec appétit tandis qu'Axel se lève pour se rendre aux toilettes. Personnellement, je trouve qu'il est encore trop tôt pour consommer, mais je sais que, pour lui, c'est pratiquement une nécessité. Alors, je garde mes remarques pour moi, me contentant de le regarder siroter son café à son retour, l'air à la fois allumé et absent.

– J'ai pensé à quelque chose..., dis-je au bout d'un moment, non sans une certaine gêne. On pourrait aller vivre chez mon père, tous les deux. Tu vois, juste le temps qu'on se trouve un endroit à nous...

Je m'interromps devant le sourire d'Axel, ce sourire amer que je n'aime pas. Déjà, je regrette ma proposition.

– Si tu veux retourner chez tes parents, c'est ton choix. Fais ce qui te tente, mais moi, je laisserai plus jamais personne contrôler ma vie.

– Mon père est vraiment cool. C'est sûr qu'il essaierait pas de contrôler notre vie...

Alors que je suis toujours en train de manger, Axel se lève et prend son sac à dos.

– Hé... tu fais quoi ? que je m'exclame, inquiète.

– Je pense qu'on voit pas les choses de la même façon. J'ai besoin d'air.

Il se dirige vers la porte.

– Axel ! Attends-moi !

Abandonnant à regret mon assiette à moitié pleine, je m'empresse de ramasser mes affaires et cours derrière lui en me demandant ce qui m'a pris de faire cette proposition stupide.

– Axel !

Je le rattrape sur le trottoir, quelques mètres plus loin. Je lui saisis le bras, mais il se dégage d'un mouvement brusque. Je ne le reconnais plus.

– Retourne chez ton père, si c'est ce que tu veux, lâche-t-il avec agressivité.

– Ce que je veux, c'est être avec toi, confessé-je d'une toute petite voix. Excuse-moi... Oublie ce que j'ai dit...

Nous marchons en silence jusqu'au métro Beaudry. Axel se dirige vers un petit groupe de jeunes. Je reste en retrait, l'observant qui discute avec eux un moment puis qui sort discrètement de l'argent afin d'acheter, je suppose, de la drogue. Une fois que c'est fait, il s'éloigne du groupe sans me prêter attention. Comme un chiot qui a peur de se retrouver tout seul dans la grande ville, je trottine derrière lui. Il choisit un coin tranquille, s'installe sur un banc. Je m'approche, m'assois près de lui. Je serais prête à tout pour que cesse cette indifférence, pour qu'il me pardonne et que tout redevienne comme avant. Au moment où je m'apprête à tenter de nouveau un rapprochement, le petit groupe de jeunes à qui il vient d'acheter de la drogue passe devant nous. Celui qui semble en être le chef fait signe à Axel de venir le voir. Ce dernier se lève et le rejoint. Tout en discutant avec mon chum, le garçon m'observe du coin de l'œil. Puis, il lui donne quelque chose qu'Axel glisse subrepticement dans sa poche avant de revenir s'asseoir sur le banc près de moi. Curieuse, je lui demande ce que ce gars voulait.

– Il voulait me proposer une job.

– Ah oui ? Quel genre de job ?

– Animateur dans un camp de jour.

Sourire amer, front soucieux. Je baisse les yeux, me sentant à la fois stupide et blessée. Se rendant compte de mon malaise, Axel s'approche de moi, me prend la main.

– Excuse-moi, Raph. Je suis con, des fois.

Je reste silencieuse, les yeux toujours baissés, m'efforçant de retenir mes larmes. Il attrape mon visage, m'oblige à le regarder en face.

– Si tu veux retourner chez tes parents, c'est correct. Je serai pas fâché contre toi. Mais moi, j'aime mieux rester ici.

Je pose la tête contre sa poitrine. Malgré le tumulte de la ville, j'entends battre son cœur. S'il reste ici, je reste avec lui.

– Le gars..., dit-il après un moment, il veut que je vende pour lui.

– Que tu vendes ? que je demande en me redressant.

– De la *dope*, précise-t-il à voix basse.

J'observe les lieux autour de moi. À cette heure, la place est tranquille. Quelques travailleurs, installés sur des bancs, profitent de leur pause pour prendre un peu de soleil ; d'autres marchent, les yeux rivés à leur cellulaire ; d'autres encore, ceux qui comme nous ont le temps de regarder vivre les passants, traînent tandis que la journée s'étire en longueur. Jusqu'à la semaine dernière, je croyais que tous les êtres humains étaient égaux, que la misère humaine, à Montréal, était une légende urbaine. Mais aujourd'hui, alors que je sais où dorment, chaque nuit, certaines personnes, et que moi-même, je n'ai plus rien, pas même un toit sur ma tête, je comprends que tout cela n'était qu'une illusion, ou, du moins, la réalité d'une jeune fille de bonne famille ayant comme préoccupations principales ses résultats scolaires, ses vêtements et son fil d'actualité Facebook.

– Ça pourrait nous rapporter assez d'argent pour louer un appart, poursuit-il.

– Ouais... mais c'est dangereux, non ?

Il hausse les épaules.

– Et pourquoi il me fixait comme ça, le gars ? J'avais l'impression d'être un morceau de viande.

– Je sais pas..., répond Axel. J'imagine qu'il te trouvait *cute*... Il m'a donné ça, aussi, ajoute-t-il en sortant un minuscule sachet de plastique de sa poche.

Dans le sachet, il y a deux comprimés. De l'ecstasy ?

– C'est du *speed*, précise Axel. Vraiment cool, il paraît. Ça te tente d'essayer ?

Pourquoi pas ? Je hoche la tête. Axel met les deux comprimés dans sa bouche. J'approche mon visage du sien et nous nous embrassons longuement.

### *12 h 30*

Ce qui se passe ensuite est plutôt difficile à décrire. En somme, j'ai l'impression de flotter au-dessus de moi-même, de marcher sur le trottoir comme s'il s'agissait d'un sentier magique menant tout droit au trésor de l'arc-en-ciel. Tout est nimbé d'une étrange lumière et mon corps a la légèreté d'une plume. Axel et moi avançons longtemps, bras dessus, bras dessous, en riant et en nous arrêtant souvent pour nous embrasser ou pour prendre des photos. Cela dure plusieurs heures. Puis, sans avertissement, le *down* nous tombe dessus. Tout à coup, je n'ai plus envie ni de marcher, ni de rire, ni même de parler. Je suis de mauvaise humeur ; je voudrais pouvoir monter à ma chambre et m'y enfermer, me couper du monde extérieur, ne plus rien voir, ne plus rien entendre. Mais la réalité veut que je sois à Montréal, en pleine rue, sans aucun endroit où aller. Cette seule idée me décourage à un point tel que je m'immobilise et, m'arrêtant sur un banc en bordure du trottoir, je laisse libre cours à mes larmes. S'assoyant près de moi, Axel me serre dans ses bras. Nous restons ainsi un moment, sans rien dire et sous le regard curieux des promeneurs.

– C'est juste un petit *down*, mon amour, ça va passer..., ne cesse-t-il de me répéter à l'oreille avec une infinie douceur.

Au bout d'une quinzaine de minutes, je finis par me reprendre. De toute façon, Axel a rendez-vous avec Steve, le mec qui veut l'engager comme *pusher*. Main dans la main, nous marchons de nouveau jusqu'au métro Beaudry.

Axel me présente à Steve, qui m'observe longuement de la tête aux pieds avant de bien daigner me saluer. Je n'aime vraiment pas la façon dont ce gars-là me regarde. J'ai l'impression qu'il m'évalue, ou, du moins, qu'il évalue les différentes parties de mon corps. Je vais m'asseoir à l'ombre d'un arbre pendant qu'ils discutent. J'ai faim et j'ai envie de prendre une douche. En observant les jeunes autour, qui sont probablement dans la même situation que moi, je me demande comment ils font, eux, pour manger à leur faim, pour se laver. Vont-ils dans les refuges dont m'a parlé Justine, la travailleuse de rue ? Il faut dire qu'on ne se pose pas ce genre de questions quand on vit dans une grande maison de banlieue où notre chambre fait face à une salle de bain confortable et où le frigo est toujours plein.

Axel revient, un large sourire plaqué sur le visage.

– Ça va, bébé ? demande-t-il en s'assoyant près de moi. Écoute, j'ai une livraison à faire. Après, on va pouvoir aller souper...

Ça, c'est une bonne nouvelle. Par contre, ça ne règle pas mon problème de douche.

– C'est cool, mon amour, mais j'ai besoin de me laver, aussi...

– Ouais... On va aller livrer ça, pis on va trouver une solution, OK ?

Je n'ai pas envie de marcher encore. Je me sens complètement vidée et démoralisée. Axel sort un joint de sa poche et l'allume.

– C'est Steve qui me l'a donné, mentionne-t-il devant mon air interrogateur. Faut bien que je teste la marchandise, t'sais.

Nous fumons en silence, en partageant une des bières qu'Axel a achetées au dépanneur tout à l'heure. Dix minutes plus tard, je suis prête à arpenter la ville d'est en ouest et du sud au nord. C'est presque magique.

***19 h 07***

Avec l'argent qu'Axel a gagné grâce à sa livraison, nous pouvons acheter de quoi manger dans une épicerie : du pain, du thon en conserve, du fromage en grains, des biscuits, des pommes et du vin. Alors que, dans le quartier des spectacles, un quelconque festival bat son plein, nous marchons jusqu'à un petit parc. Nous nous installons par terre, sur le gazon, et sortons nos denrées de nos sacs à dos. Un couple dans la cinquantaine, assis un peu plus loin sur un banc, nous fixe avec une pitié mêlée de mépris. Je baisse les yeux. Est-ce que moi aussi, avant d'aboutir ici, je considérais les itinérants de cette façon ? Leur regard me brûle la peau ; je me retourne pour prendre discrètement une gorgée de vin à même la bouteille.

Alors que nous nous apprêtons à remballer nos affaires, je sens quelque chose de chaud me couler entre les jambes. Mon esprit affolé fait rapidement le calcul ; quand ai-je eu mes règles pour la dernière fois ? C'était il y a un bon mois, il me semble... Maintenant en proie à la panique, je fouille dans toutes les poches de mon sac à dos... pour n'y trouver aucun tampon, aucune serviette hygiénique... Il me faut des toilettes, et vite. Cela me gêne un peu de parler de ça à Axel, mais ce n'est pas vraiment comme si j'avais le choix. Ainsi, après que je lui ai expliqué la situation, nous nous empressons de trouver un restaurant où, tandis qu'il prend un café, j'utilise les toilettes. Je bourre ma culotte de papier, en sachant très bien qu'il s'agit d'une solution temporaire.

– Est-ce qu'il te reste de l'argent ? que je demande à Axel en revenant à la table. Faudrait que j'achète des serviettes hygiéniques.

Il sort de la monnaie de sa poche. À peine quatre dollars. Après avoir payé son café, il ne lui en restera plus que deux, ce qui ne me semble pas suffisant pour me procurer un paquet de serviettes... enfin, il me semble. Depuis que je suis partie de chez moi, je réalise que je ne connais pas les prix des articles et des aliments que je consomme au quotidien ; c'étaient mes parents qui payaient l'épicerie...

– J'ai un plan, dit Axel en se penchant vers moi.

C'est très simple : en gros, il me propose de voler des serviettes hygiéniques dans une pharmacie.

– Je peux pas faire ça, refusé-je en secouant la tête.

Il soupire, visiblement déçu par ma réponse. Il se lève et se dirige vers les toilettes. Pendant ce temps, je sors de la poche de ma veste la feuille que m'a donnée Justine, ce matin même. En la parcourant des yeux, je constate qu'il y a un refuge pour les douze-vingt et un ans à quelques rues d'ici. Je me souviens qu'elle m'a dit qu'on y donnait des serviettes hygiéniques. En plus, je pourrais prendre une douche et dormir en sécurité.

Quand Axel revient de la salle de bain, je mets au moins vingt minutes à le convaincre de m'accompagner au refuge pour la nuit. Il préférerait qu'on se débrouille tout seuls, mais, pour moi, avec mes règles et mes maux de ventre qui n'iront qu'en s'intensifiant au cours des prochaines heures, la perspective d'une autre nuit dans la rue ou dans un squat n'est tout simplement pas envisageable. C'est ainsi que, finalement, nous nous mettons en route pour le refuge.

# - 6 -

***20 h 35***

En arrivant au refuge, Axel doit déposer toute la drogue qu'il a sur lui dans un bac de plastique qu'un intervenant – qui s'appelle Dave – met sous clé. Je m'attends à ce que dernier dise quelque chose, mais non. En fait, il a plutôt l'air de trouver ça normal. En souriant, il nous dirige vers les douches et nous tend des vêtements de rechange que nous porterons en attendant que les nôtres soient lavés. D'une voix à peine audible, tellement je me sens gênée, je lui demande s'il peut me donner des serviettes hygiéniques. « Bien sûr », répond-il avant de disparaître et de revenir, un instant plus tard, avec un sac contenant tout un assortiment de serviettes et de tampons.

– La prochaine fois, me conseille-t-il en me le remettant, je te suggère de te procurer une coupe menstruelle. Ç'a ses avantages, dans la rue, et puis, à la longue, c'est pas mal plus économique.

– Ah... j'ai jamais entendu parler de ça...

– Je t'ai mis un dépliant informatif dans le sac.

– Merci beaucoup, dis-je avant de refermer derrière moi la porte de la salle de bain.

En prenant ma douche, je repense aux paroles de Dave. « À la longue, c'est pas mal plus économique »... Cela me met mal à l'aise de considérer que je pourrais rester dans la rue pour une longue période. Plus les jours passent, plus j'ai l'impression que ce n'est pas pour moi. En même temps, je n'ai envie ni de retourner vivre avec ma mère ni de laisser Axel. Bref, je commence à me sentir coincée. C'est comme si ma fugue m'avait reléguée dans une catégorie à part, la catégorie des inclassables, qui n'ont leur place nulle part...

Après la douche, Dave nous envoie dans nos dortoirs respectifs. Ma déception de ne pas dormir avec mon amoureux fait vite place à un incommensurable sentiment de soulagement lorsque je m'allonge sur mon lit et que je peux, l'espace d'un instant, en apprécier le confort. Évidemment, on n'est pas ici dans un hôtel cinq étoiles, mais le simple fait de savoir que, cette nuit, je dormirai sur un matelas propre, dans un lieu où je serai en sécurité, n'a pour moi pas de prix. Dans le lit à côté du mien dort déjà une fille qui semble très jeune, douze ou treize ans peut-être. Allongée sur le côté, je la regarde un moment en me demandant de quelle façon elle s'est retrouvée ici. A-t-elle fui la maison familiale parce qu'elle y étouffait ? Parce que ses parents lui mettaient trop de pression ? Peut-être aussi qu'elle était victime d'intimidation à l'école ou que, tout comme moi, elle a suivi un garçon dont elle est amoureuse...

# SORTIE DE SECOURS

Un peu plus tard, je retrouve Axel dans la salle à manger, où on nous sert un repas. Même si nous avons grignoté il n'y a pas si longtemps, j'ai vraiment faim. On pose devant moi une assiette de lasagne, qui est un de mes plats préférés. À la table, à part Axel et moi, il y a deux adolescents. L'un d'eux garde les yeux baissés sur son assiette tandis que l'autre nous salue d'un signe de tête.

– Tu t'appelles comment ? me demande celui-ci alors que je m'apprête à prendre ma première bouchée.

– Raphaëlle, dis-je en me tournant vers lui. Et toi ?

Au lieu de me répondre, il se lève brusquement et va à la fenêtre. Après quelques secondes passées à observer la nuit dehors, il revient s'asseoir à table, l'air anxieux.

– Ça va, *man* ? demande Axel.

– Ça va, ça va. Je voulais juste être sûr qu'ils m'avaient pas suivi jusqu'ici.

– Qui ça ? que je m'informe à mon tour.

Ignorant ma question, il me tend la main.

– Moi, c'est Samuel. Tu peux m'appeler Sam.

Il tend ensuite la main à Axel.

– Moi, c'est Samuel. Tu peux m'appeler Sam, répète-t-il.

– Moi, c'est Axel.

Nous mangeons en silence pendant quelques minutes. J'ai envie de rire et je vois bien qu'Axel aussi, mais je me retiens. Puis, de nouveau, Samuel se lève et va à la fenêtre. Il scrute l'extérieur en se tordant les mains, le visage secoué par divers tics.

– C'est juste que je peux pas parler s'ils me surveillent, explique-t-il en revenant s'asseoir. Je reviens de Vancouver. Ils ont pas aimé ça que je parte... que je parte si longtemps, en fait. Ils veulent se venger, maintenant. Ils veulent ma peau, si vous voyez ce que je veux dire.

Axel hoche la tête d'un air compréhensif, comme s'il voyait exactement ce que Sam veut dire. Je lui lance un regard interrogateur accompagné d'un haussement d'épaules.

– Des gars que tu connais ? demande Axel à Sam.

– Des gars ? Ha ! ha ! ha ! Si c'était juste des gars, penses-tu vraiment que j'aurais eu besoin de partir ? De partir si loin, hein ?

Sans rien ajouter, Sam se remet à manger. L'autre adolescent, la tête baissée, se lève et va porter son assiette à la cuisine. Puis, tout en gardant un œil sur la fenêtre, Sam nous fait signe d'approcher nos visages du sien.

– Les écureuils... Ils veulent ma peau, pis tout ce qui va avec.

* *
*

Après nous avoir expliqué pourquoi les écureuils voulaient sa peau, Samuel se lève à son tour et quitte la table. Dave en profite pour venir s'asseoir avec nous, une tasse de café à la main.

– Ça va ? dit-il en guise de préambule, en me dévisageant étrangement me semble-t-il.

– Oui. Merci pour la lasagne, lancé-je tandis qu'Axel se contente de hocher la tête d'un air blasé. Au fait, est-ce que Justine est ici ?

– Non, répond Dave, mais elle y sera demain. Elle devrait arriver vers neuf heures.

– C'est qui, Justine ? me demande Axel en finissant son assiette.

– C'est l'intervenante que j'ai rencontrée ce matin. Tu sais, pendant que tu étais parti au dépanneur ?

Après nous avoir énuméré les diverses règles de fonctionnement du refuge, Dave nous souhaite une bonne soirée et regagne son bureau. De notre côté, nous apportons notre vaisselle à la cuisine, puis nous nous dirigeons vers le salon, où quelques jeunes regardent la télévision. Au bout d'un moment, Axel, qui a l'air tendu et renfrogné, se met à s'agiter. Comme pris de soudains tics nerveux, il tapote compulsivement l'accoudoir du sofa où nous sommes installés et secoue sa jambe droite à répétition. Je lui propose de sortir sur le balcon.

– J'aime pas ça, ici, me confie-t-il dès que nous sommes seuls. J'ai l'impression d'être à la garderie.

Je suis incapable de retenir un soupir d'agacement. Bien sûr, il y a ici un certain encadrement et des règles à respecter, mais, au moins, nous avons pris une douche, mangé un repas chaud, sans parler du fait que je me suis procuré des serviettes hygiéniques. Il me semble qu'Axel pourrait faire un effort, ne serait-ce que pour une soirée...

– Écoute, dis-je en l'enlaçant, on dort ici puis, demain matin, on s'en va. OK ?

– OK, répond-il en me serrant contre lui. On va se coucher ?

– Oui.

Tout en acquiesçant, je lui prends la main et, ensemble, nous retournons à l'intérieur du refuge. Quinze minutes plus tard, mes yeux se ferment au moment même où ma tête se pose sur l'oreiller.

### *Mercredi 28 septembre, 9 h 12*

Justine arrive alors que nous sommes en train de déjeuner. Lorsqu'elle me voit, son visage semble s'éclairer. Elle m'adresse un petit signe de la main avant d'entrer dans le bureau des intervenants. Je ne sais pas pourquoi, mais je me sens heureuse et privilégiée qu'elle me reconnaisse. Après tout, elle doit rencontrer, chaque jour, des dizaines de filles comme moi. Après le déjeuner, Axel et moi retournons récupérer nos affaires. Il est temps de partir. En sortant du dortoir des filles, mon sac sur le dos, je croise Justine. J'ai l'impression qu'elle m'attendait.

– Salut ! me dit-elle en souriant. Tu as aimé ta nuit ici ?

– Oui. Ça m'a fait du bien de prendre une douche et de dormir dans un lit confortable.

– Tu peux venir dans mon bureau une minute ?

Je n'en ai aucune envie, mais, devant son regard insistant, je comprends que je n'ai pas le choix. Je hoche donc la tête et je la suis.

*Ça y est. Elle m'a reconnue. Elle va appeler la police et ma mère va m'enfermer dans ma chambre pour le reste de mon adolescence.*

Une fois dans son bureau, elle m'invite à m'asseoir. Elle prend une feuille posée près de son ordinateur et me la tend. C'est l'avis de recherche qui a été publié à la suite de ma fugue, la semaine dernière. Mon cœur se met à battre comme un fou et mes paumes deviennent inhabituellement moites.

– C'est toi, n'est-ce pas ? me demande-t-elle en approchant sa chaise tout près de la mienne.

– Oui, avoué-je en baissant les yeux.

Elle me touche le bras doucement et je relève la tête pour la regarder.

– Tu avais sûrement de bonnes raisons pour partir de chez toi. Je suis pas là pour te faire la morale. Par contre, ton père a appelé ici il y a quelques jours. Il avait l'air vraiment inquiet. Il te cherche partout, tu sais.

J'ai soudain affreusement honte de moi. Mon père souffrait déjà à cause du divorce ; il n'avait pas besoin que j'ajoute à sa peine. Je me sens comme une mauvaise fille, comme une mauvaise personne. Tout à coup, j'ai envie de prendre le coupe-papier posé sur le bureau de Justine et de me l'enfoncer dans le bras.

– Quand un parent nous appelle, poursuit-elle d'un ton sérieux, on est dans l'obligation de le rappeler si on a vu son enfant.

Je hausse les épaules avec résignation. Finalement, ce n'était peut-être pas une si bonne idée de venir dormir ici. À quoi bon jouer la carte de l'anonymat si, à la première occasion venue, je me jette moi-même dans la gueule du loup ?

– Tu vis où, en ce moment ? me demande Justine.

– Chez des amis de mon chum, raconté-je avec une facilité qui m'étonne moi-même.

– Te sens-tu en sécurité là-bas ?

– Oui...

– Tu sais ce qui serait bien ? reprend Justine après un moment.

Je hausse de nouveau les épaules, comme si j'étais devenue muette.

– Ce serait que tu appelles toi-même ton père.

Si je fais ça, il insistera pour savoir où je suis, pour venir me chercher. Comme Axel ne veut rien savoir de vivre chez lui, je devrai y aller seule, ce qui signifie qu'il me faudra renoncer à lui, à notre relation. Je ne me sens pas prête à ça.

– Mon père est au travail, à cette heure-ci, objecté-je avec l'espoir de pouvoir remettre ça. Et il a pas de cellulaire...

– Il s'en est procuré un, justement, m'annonce Justine. Et il a garanti qu'on pouvait le contacter à n'importe quelle heure du jour ou de la nuit.

Voilà, je suis coincée. D'une main tremblante, je prends le bout de papier, où est noté le numéro, et le combiné téléphonique qu'elle me tend.

– Je lui dis quoi ? que je demande, à la fois pour gagner du temps et pour me préparer psychologiquement à la conversation que je m'apprête à avoir avec mon père.

– Que tu vas bien. Ce sera déjà beaucoup. Il insistera sûrement pour que tu rentres à la maison, mais, comme tu as seize ans et que rien, en ce moment, ne semble menacer ta sécurité, personne ne peut t'obliger à retourner chez toi...

Cela me gêne un peu de téléphoner devant elle, mais je n'ai pas le choix. Je compose donc, avec une anxiété croissante, les dix chiffres du nouveau numéro de mon père...

* *
*

Dès qu'il entend ma voix, mon père se met à pleurer. Moi aussi, j'ai une boule dans la gorge, mais je m'efforce de ne pas craquer. Comme me l'a conseillé Justine, je lui apprends que je vais bien, que je suis en sécurité. Je lui explique que nous vivons chez des amis d'Axel, que tout se passe correctement. Il tente de me convaincre de venir habiter chez lui avec Axel, me répète qu'il y a suffisamment d'espace pour nous deux. Il me mentionne qu'il a vu ma mère hier, qu'elle aussi est morte d'inquiétude. Qu'elle regrette de m'avoir punie si sévèrement et que plus jamais elle n'agira ainsi avec moi. Que, du moins, c'est ce qu'elle lui a confié. Il me raconte aussi qu'elle vit des choses particulièrement bouleversantes en ce moment, mais qu'il m'en parlera plus tard. Je pleure en silence. Je lui dis que je ne suis pas prête à rentrer, que j'aime Axel, que je souhaite rester avec lui. Il réitère sa proposition. Je n'ose pas lui avouer qu'Axel ne veut rien savoir de venir vivre chez lui avec moi.

Un ange passe. Justine, qui était sortie tandis que je parlais, revient et s'assoit à son bureau.

Brisant le silence, mon père me fait promettre de le rappeler régulièrement, « tous les trois jours ? » propose-t-il. J'accepte, sans savoir si je pourrai tenir parole. Je comprends que ça lui arrache le cœur de ne pas pouvoir sauter dans sa voiture pour venir me chercher, de ne pas savoir quand il me reverra. Avant de raccrocher, je lui murmure que je l'aime.

– Je lui ai promis de l'appeler tous les trois jours, annoncé-je à Justine.

– C'est super, ça. Je suis fière de toi, Raphaëlle.

Elle m'apprend qu'Axel m'attend dans le salon.

– Il sait que j'étais au téléphone avec mon père ? que je lui demande, inquiète.

– Non, m'assure-t-elle. Je lui ai expliqué que j'avais besoin de discuter de certaines choses avec toi.

– Merci, dis-je en me levant et en me dirigeant vers la porte. Merci pour tout.

– Donne-moi des nouvelles de temps en temps, d'accord ? me lance-t-elle en me tendant sa carte professionnelle. Et à ton père, aussi. Après tout, tu lui as fait une promesse.

– OK.

Je sors du bureau en songeant que, si cette fille a des enfants, ceux-ci n'ont certainement aucune raison de fuguer. Elle est si douce et compréhensive ! Tout le contraire de ma mère... Je pense aussi que, même si je n'ai pas particulièrement souffert du fait d'être enfant unique, j'aurais aimé avoir une grande sœur comme elle.

## *11 h 12*

De retour dans la rue, nos sacs sur le dos, nous nous dirigeons vers le métro Beaudry. Pour la première fois depuis notre fin de semaine à l'hôtel, je me sens bien. J'ai passé une bonne nuit, j'ai suffisamment mangé, j'ai pris ma douche, mes vêtements sont propres. En plus, j'ai parlé à mon père, ce qui m'enlève un poids des épaules, mais j'évite de le dire à Axel qui, pour sa part, n'a pas semblé apprécier sa nuit au refuge. D'ailleurs, il y va de toutes sortes de commentaires négatifs, autant à l'égard de Dave que des garçons qui ont dormi à ses côtés dans le dortoir, dont notre ami Samuel qui croit que les écureuils le pourchassent à travers la ville pour se venger et en finir avec lui. En quelques mots discrets, Dave m'a expliqué que Samuel, lors de son séjour à Vancouver, a pris énormément de *crystal meth* et que cette drogue, extrêmement addictive, a provoqué chez lui une psychose, qui semble perdurer depuis.

Au fond de moi, je sais bien qu'en fait Axel était en manque. J'avais déjà remarqué que, lorsqu'il passe plus d'une heure ou deux sans consommer, son attitude change ; il devient plus agressif, plus distant, cynique. Pour tout dire, et même si j'aime Axel, j'en suis venue à anticiper ces moments.

# SORTIE DE SECOURS

Un peu avant d'arriver au métro, Axel bifurque dans une ruelle. À l'aide de la pipe que Steve lui a donnée, il fume une roche de crack.

– Tu veux essayer ? me demande-t-il en me tendant la pipe.

Je secoue la tête négativement. Déjà, voir le garçon que j'aime se détruire à petit feu est difficile. Il n'est pas question que je m'y mette moi aussi. Qui veillerait sur lui si j'étais trop gelée pour le faire ?

Steve nous attend à l'endroit où Axel et lui se sont croisés la première fois. Axel va le retrouver tandis que je m'assois sur un banc, légèrement à l'écart. Après qu'ils ont discuté quelques minutes, Axel me fait signe de venir les rejoindre.

– Salut, lance Steve en me présentant sa main. Raphaëlle, c'est ça ?

Je me contente de hocher la tête, intimidée.

– Comme je l'ai dit à ton chum, j'ai un appart pas trop loin d'ici. Étant donné que vous avez toujours pas de place où habiter, je vous propose de venir chez nous... le temps de vous r'virer de bord, t'sais.

Personnellement, je n'apprécie ni Steve ni sa façon de m'examiner. Je n'ai donc pas nécessairement envie d'aller vivre dans son appartement, même pour quelques jours. En même temps, ce serait probablement mieux que de dormir dans la rue... Avons-nous vraiment le choix, au fond ? J'interroge Axel du regard. Ses yeux sont vitreux, il a l'air complètement parti.

– OK, acquiescé-je à contrecœur. Mais ce sera pas pour longtemps. On devrait avoir notre propre appart bientôt.

Depuis que j'ai entamé ma « nouvelle vie », je me répète, tel un mantra, ce qui m'apparaît désormais comme un pur fantasme. Les logements sont chers et le peu d'argent qu'Axel a gagné jusqu'à maintenant lui a servi presque entièrement à payer sa drogue. Au fond, la seule solution serait que, moi aussi, je me trouve un travail.

* *
*

Nous suivons Steve jusqu'à son appartement. Tout en marchant, il allume un joint, qu'il me passe.

– T'aimerais pas ça, travailler, toi aussi ? me lance-t-il comme s'il avait lu dans mes pensées.

– Euh... oui. Mais j'ai juste seize ans, puis je me suis fait voler mon sac. J'ai plus aucune pièce d'identité.

*C'est comme si je n'étais plus personne. Sans passé, sans avenir...*

– Ça, c'est pas nécessairement un problème, dit-il alors que nous arrivons chez lui.

# SORTIE DE SECOURS

L'appartement de Steve n'est pas très grand, mais, sans être impeccable, il semble tout de même assez propre et bien rangé. Il y a deux chambres, une cuisine, un salon et une salle de bain. Les chambres ayant l'air d'être occupées, je me demande où nous allons dormir. Encore une fois, comme s'il lisait dans mes pensées, Steve m'indique un coin du salon où nous pouvons poser nos sacs.

– Des amis dorment ici en ce moment, explique-t-il, mais ils devraient partir bientôt. En attendant, vous pourrez prendre le divan-lit.

Tandis que nous nous installons dans l'espace restreint qui nous est attribué, Steve va à la cuisine et en revient avec trois bières. Nous trinquons avant de nous asseoir, Axel et moi, sur le divan qui deviendra notre lit, la nuit venue. Pour sa part, Steve se cale dans le fauteuil.

– Aimes-tu ça, danser ? s'informe-t-il avec un sourire énigmatique.

Sa question me prend au dépourvu. Aussitôt, je pense à madame Lacombe, à toutes mes années de ballet, au spectacle qui a eu lieu hier. Ma professeure doit être si déçue de moi ! Si Axel n'était pas à mes côtés en ce moment, je croirais que j'ai tout gâché.

– Oui, soufflé-je d'une voix teintée d'émotion.

– Je le savais, s'exclame-t-il en se levant de son fauteuil pour venir se percher sur le bras du divan, à côté d'Axel et moi. T'as un vrai corps de danseuse, poursuit-il en passant sa main sur mes omoplates comme si nous étions tous deux seuls au monde. T'es vraiment belle...

Tout en me caressant le dos, il approche son visage du mien. On dirait qu'il a l'intention de m'embrasser. Je suis mal à l'aise et n'ose pas le regarder. Quant à Axel, il fixe, l'air hébété, la main de son « patron » qui se promène derrière moi.

– Bon, *man*, on retourne travailler ? demande-t-il finalement à Steve.

Celui-ci finit sa bière d'un coup avant de sauter sur ses pieds. Je suis soulagée qu'il me lâche enfin. En replaçant mes vêtements, je me lève à mon tour. Cinq minutes plus tard, nous sortons de l'appartement pour nous diriger vers la rue Ontario Est.

### *18 h 30*

Après avoir passé l'après-midi à solliciter les passants pour leur vendre de la drogue, Axel peut enfin prendre congé de son « travail ». Je suis bien contente de rentrer, car, pour moi, le temps s'est étiré en longueur depuis que nous avons remis les pieds dans la rue. Je me sens inutile et je suis curieuse de savoir quel travail Steve veut me proposer.

Ce dernier est dans la cuisine avec un garçon et une fille que je n'ai jamais vus auparavant. Il s'agit probablement des gens dont il nous a parlé un peu plus tôt et qui vivent ici. Il nous présente, nous offre une bière, fait circuler un joint. D'autres personnes arrivent – deux garçons, et deux filles qui se nomment Jade et Candy – et, très rapidement, une ambiance de party s'installe. Des bouteilles de fort apparaissent sur la table et Steve offre de l'ecstasy à tout le monde.

– Ça te tente, bébé ? me murmure Axel à l'oreille.

Je me dis que ça me dégênerait.

– Juste si tu en prends toi aussi, accepté-je.

Il dépose deux petits comprimés sur sa langue et nous nous embrassons.

* *
*

En riant, Jade et Candy m'entraînent dans la chambre d'amis. Tandis que Jade fouille dans la penderie, Candy se déshabille et m'encourage à faire de même. Sans trop me poser de questions, je retire ma camisole. Candy s'empresse de défaire l'agrafe de mon soutien-gorge.

– Wow ! T'as vraiment de beaux seins, me complimente Jade en se retournant. Essaye ça.

Elle me tend un déshabillé noir en dentelle. Je me demande ce que Steve fait avec de tels vêtements dans son appartement, mais je n'ose pas poser ouvertement la question. Jamais encore je n'ai porté de déshabillé, mais je songe que je peux bien essayer, que c'est juste pour jouer. Ainsi, tandis que Candy revêt une robe rose moulante très sexy, j'enfile le déshabillé noir. Quand j'ai terminé, Jade me prend par les épaules et me dirige vers un grand miroir sur pied qui trône dans un coin de la chambre.

– Regarde-toi, dit-elle. T'es un vrai canon. Avec un peu de maquillage, t'aurais l'air d'une mannequin.

Je reste plantée là, à admirer mon reflet dans la glace tandis que Jade, à son tour, se change. Lorsque nous sommes toutes les trois prêtes, elles me prennent par la main et, tels des top-modèles qui défilent, nous traversons la cuisine, puis le salon. Les gars se mettent à pousser des sifflements admiratifs. Étrangement, je n'éprouve pas de gêne ; au contraire, les regards qui glissent sur moi, sur mon corps, me flattent. Je me sens belle et séduisante. Je m'approche d'Axel pour l'embrasser. Du coin de l'œil, je peux voir Jade faire la même chose avec Steve, tandis que Candy se laisse enlacer par Anthony, le gars avec qui elle est arrivée il y a quelques heures. Puis, comme si plus rien n'avait d'importance, les couples se défont, tout le monde se met à *frencher* tout le monde. Ainsi, je me retrouve dans les bras de Steve qui, d'une main, me caresse les seins tandis que, de l'autre, il effleure ceux de Candy. Puis, Axel nous rejoint, suivi d'un autre garçon. Il y a des mains partout ; les yeux fermés, je me laisse aller aux sensations nouvelles qui montent en moi.

**Vendredi 7 octobre, 10 h 45**

Depuis la fameuse fête où elles m'ont fait enfiler le déshabillé noir, Candy, Jade et moi sommes inséparables. Ayant toutes les deux quelques années de plus que moi, elles me traitent un peu comme leur petite sœur, comme leur protégée. Pendant qu'Axel travaille, elles me sortent ; nous allons magasiner, nous mangeons au restaurant, nous allons voir un film au cinéma, elles me font visiter la ville. Parfois, alors que nous déambulons toutes les trois sur le trottoir, j'ai peur de croiser quelqu'un que je connais ou, encore, que la police m'intercepte et me ramène directement chez ma mère ; alors, je n'aurais plus d'autre choix que de reprendre ma vie d'avant. Je tente de me rassurer en me disant que non seulement je n'ai plus ni la même coupe ni la même couleur de cheveux, mais que je n'ai plus du tout non plus le même look, surtout depuis que Jade et Candy m'ont offert de nouveaux vêtements. Je me demande si ces dernières ont elles aussi fugué et, si oui, pourquoi. En tout cas, elles insistent toujours pour m'inviter et toutes les deux semblent avoir, en permanence, un paquet d'argent sur elles. Par ailleurs, si je me fie à tout le temps qu'on passe ensemble, elles ne semblent travailler, l'une et l'autre, que quelques heures par jour.

– C'est quoi, les filles, votre travail, qui vous donne autant d'argent ? que je les interroge alors que nous prenons un café dans un bistro de la rue Saint-Denis.

Elles échangent un regard, un léger sourire accroché au coin des lèvres.

– Un travail que tu pourrais faire toi aussi, répond Candy, énigmatique. Un travail pour lequel t'as besoin ni de pièces d'identité ni de CV, un travail facile...

– ... et très payant, poursuit Jade. Si tu veux, ce soir, on t'emmène voir comment ça marche.

– OK, dis-je en me posant encore plus de questions sur ce travail facile et si payant que, selon elles, je pourrais faire moi aussi.

– D'ici là, faut qu'on te laisse, reprend Candy. On a un rendez-vous d'affaires.

Après avoir réglé l'addition, elles sortent du restaurant en m'envoyant la main. Par la vitrine, je les suis des yeux alors qu'elles s'éloignent.

* *
*

Je me retrouve seule pour la première fois depuis plusieurs jours. En croisant une cabine téléphonique, je réalise que cela en fait déjà cinq que j'ai appelé mon père. Je n'ai pas particulièrement envie de lui parler ni de lui raconter, comme les deux dernières fois, des demi-vérités, mais je ne veux pas qu'il s'inquiète. Et cela peut paraître étrange et même absurde à dire, mais, même si j'ai fugué, même si je lui fais de la peine, je tiens à ce qu'il continue à avoir confiance en moi. Dans ma poche, j'ai la monnaie nécessaire pour un coup de fil. À cette heure, en plus, mon père doit être en train de dîner. C'est le bon moment ; j'insère mes pièces de monnaie dans la fente de l'appareil, compose le numéro de son cellulaire. Ça sonne... Un coup, deux coups et puis...

– Allô ? répond-il.

– Salut, papa. C'est moi, Raph.

– Raph ! Ça fait des jours que j'attends ton appel ! s'exclame-t-il sans pourtant que ça sonne comme un reproche.

– Oui, je sais, je... j'ai passé tout droit. Excuse-moi, papa.

– Mais non, voyons ! C'est pas grave, ma grande. Je suis juste soulagé d'entendre ta voix. Dis-moi, comment ça va ?

– Ça va bien, affirmé-je sans avoir l'impression de mentir. On habite toujours au même endroit, et puis je me suis fait de nouvelles amies... Elles s'occupent bien de moi.

– Ah... Des amies de ton âge ?

– Un peu plus vieilles... Mais bon, ajouté-je précipitamment afin d'éviter qu'il me pose davantage de questions sur Candy et Jade, je voulais surtout savoir comment toi et maman, vous alliez. Tu as mentionné qu'elle vivait des choses en ce moment...

– Oui, euh... C'est vrai. Je sais juste pas si c'est vraiment à moi d'aborder le sujet. Après tout, j'ai pas grand-chose à voir là-dedans. Ça concerne plutôt son passé et elle préférerait sûrement t'en parler elle-même.

– Son passé ? Maman nous aurait caché des choses ?

– Oui, c'est ça. Écoute, ma chouette, tu peux me rappeler dimanche après-midi ? Je dois passer chez ta mère signer des papiers. Je me sentirais plus à l'aise que ce soit elle qui te raconte tout ça. Ou, alors, tu l'appelles directement.

– Je t'ai déjà expliqué, papa, que j'avais pas le goût de lui parler ! Elle va me crier après et ça, ça me tente pas du tout !

– Écoute, Raph, je comprends, mais c'est ta mère quand même ! Laisse-moi en discuter avec elle et rappelle-moi dimanche, d'accord ?

Après avoir convenu d'une heure précise pour notre rendez-vous téléphonique, nous raccrochons. Qu'est-ce que ma mère peut bien nous avoir caché de si bouleversant ? Elle qui donne toujours l'impression d'être au-dessus de ses affaires aurait des squelettes dans son placard ? Même si je tente de me faire croire que cela m'importe peu, je dois m'avouer à moi-même que je suis drôlement curieuse de savoir de quoi il s'agit.

Je me mets en route vers l'appartement de Steve. Alors que je marche, quelque chose qui s'est produit hier me revient en mémoire : je revois ce dernier en train de donner de l'argent à Candy... Je repense aussi à tous les vêtements sexy qu'il garde dans l'armoire de sa chambre d'amis. Est-ce que, tout comme Axel, mes nouvelles amies travailleraient pour Steve, par hasard ?

Avant de rentrer, je décide d'aller faire un tour au métro Beaudry, pour voir si mon chum s'y trouve.

Il n'y est visiblement pas, mais, au loin, je crois apercevoir Justine en train de discuter avec un petit groupe de jeunes. Je m'approche et m'installe sur un banc à proximité en attendant qu'elle ait terminé sa conversation. Quelques minutes plus tard, elle les salue et, se retournant, m'aperçoit. D'un coup, son visage s'illumine et, alors qu'elle vient à ma rencontre, un doux sourire se dessine sur ses lèvres. Elle s'assoit près de moi.

– Salut, Raphaëlle ! Comment ça va, aujourd'hui ? me demande-t-elle d'un ton enthousiaste.

– Ça va bien. Je m'en venais voir mon chum, mais il est pas là.

– Ah. Et vous habitez toujours chez les amis dont tu m'as parlé ?

J'avais oublié que j'avais menti à Justine. J'essaie cependant de ne pas le laisser paraître.

– Oui, mais on devrait se trouver un appart vraiment bientôt, dis-je en essayant d'avoir l'air sûre de moi. Axel a une job, maintenant.

Justine me fixe intensément de son regard clair.

– Je sais ce qu'Axel fait comme travail, Raphaëlle. Je me doute aussi qu'il consomme. Je pense que, si tu me parlais franchement de ce que tu vis, on perdrait moins de temps. Je te rappelle que je suis pas là pour te juger.

Je me fige, me sentant stupide d'avoir essayé de lui mentir. Évidemment, elle et ses collègues doivent tout savoir des jeunes comme moi qui se tiennent dans le coin. C'est leur boulot de nous observer, de nous poser des questions. Me sentant rougir, je baisse les yeux et fixe le bout de mes chaussures. Après un moment, Justine se lève.

– Si t'as pas envie de parler, c'est correct aussi. Je vais continuer ma...

Redoutant soudain la pesante solitude dans laquelle son départ risque de me plonger, je me redresse, la regarde.

– Non, attends ! Ça me tente de parler !

Elle se rassoit près de moi et, alors, je me lance. Même si j'ai l'impression que tout sort de travers et dans le désordre, je lui raconte ce qui se passe réellement dans ma vie présentement : l'appartement de Steve, mes inquiétudes quant à la consommation de drogues d'Axel, ma relation avec Jade et Candy. Tout en parlant d'elles, je réalise que je n'arrive pas vraiment à les considérer comme des amies, encore moins comme des confidentes. C'est comme si, avec elles, en fait, je n'étais pas à cent pour cent moi-même, un peu comme si je m'étais glissée dans la peau d'une autre. Je prends aussi conscience à quel point, malgré la présence d'Axel, je me sens seule. Mes vrais amis me manquent, en particulier Élise. L'émotion me submergeant, je vide mon sac de plus belle.

– En tout cas, je sais pas où elles travaillent, mais elles font plein d'argent. Elles m'ont promis que, moi aussi, je pourrais en gagner plein facilement. Ce soir, elles vont m'emmener là-bas.

Justine baisse les yeux. Elle semble triste, tout à coup. Elle pose une main sur la mienne.

– Écoute, Raphaëlle. Ta vie t'appartient, mais je veux te dire une chose : t'es pas obligée d'accepter tout ce qu'on pourrait te demander, OK ?

Je hoche la tête, même si j'ignore totalement de quoi elle parle. Jade et Candy ne sont peut-être pas mes meilleures amies, mais je ne crois pas qu'elles m'obligeraient à quoi que ce soit.

Afin de faire diversion – et peut-être aussi afin de retenir Justine un peu plus longuement auprès de moi –, je lui pose des questions sur elle.

– Il m'arrive quelque chose de vraiment spécial, en ce moment, me révèle-t-elle avec un sourire énigmatique. J'ai été adoptée à ma naissance et, il y a quelque temps, j'ai entrepris des démarches pour retrouver ma mère biologique.

Un frisson de culpabilité me parcourt l'épine dorsale. Tandis que cette fille-là, si gentille et si douce, cherche sa vraie mère, moi, j'abandonne la mienne.

– Hier, j'ai reçu un coup de téléphone, poursuit-elle. Ma travailleuse sociale m'a donné son nom. Ç'a l'air de rien, mais, pour moi, c'est déjà beaucoup !

– Hein ? Mais c'est super, ça ! que je m'exclame. Tu vas la rencontrer bientôt ?

– Moi, j'aimerais ça, mais il faut qu'elle aussi soit d'accord. Je vais savoir d'ici quelques jours si elle veut me voir ou pas. Je te tiendrai au courant, si ça te tente ! me propose-t-elle en se levant. Bon, il faut que j'y aille, maintenant.

Elle s'approche de moi, me serre brièvement contre elle. Je la regarde s'éloigner, légère et lumineuse, sous le soleil de midi.

# - 7 -

***12 h 34***

L'appartement de Steve est désert. Sur le comptoir de la cuisine, un cellulaire, un mot rédigé à la main.

*Salut, poupée, je viendrai te chercher à 19 h. D'ici là, fais-toi belle.*

*Steve*

*P.-S. : Le cell, c'est pour toi.*

Je prends le téléphone, l'observe sans oser l'allumer. Steve a offert un cellulaire à Axel, mais c'était pour le travail. Pourquoi m'en offre-t-il un à moi aussi ? Sans me poser davantage de questions, je le prends et le dépose sur la tablette de la bibliothèque qui me sert de table de chevet. Puis, épuisée par ma nuit trop courte, je m'allonge sur le canapé.

Lorsque je m'éveille d'un sommeil entrecoupé de rêves angoissants, plusieurs heures plus tard, Axel est allongé tout contre moi.

– Salut, ma belle, me murmure-t-il à l'oreille avant de m'embrasser dans le cou.

Levant un peu la tête, je regarde tout autour. On dirait bien que nous sommes seuls, ce qui arrive rarement. Je prends le visage d'Axel entre mes mains.

– M'aimes-tu encore, mon bébé ?

– Raph, j'aimerai jamais personne plus que toi. Oublie pas ça, OK ? Jamais.

Les larmes aux yeux, nous faisons tendrement l'amour.

***18 h 44***

Vêtue d'une jupe rose et d'une camisole noire, je finis de me maquiller. Assis près de moi, Axel enfile sa troisième bière.

– Steve vient de me texter. Il a besoin de moi ce soir. C'est poche, j'aurais préféré y aller avec toi...

Il a un drôle d'air.

– Tu sais où elles travaillent, toi, Candy et Jade ?

– Dans un bar, répond-il.

Il se lève, me prend par la taille.

– Raph... Vas-y pas, OK ? On reste ensemble, ce soir. Je vais dire à Steve que je suis malade, c'est tout.

– Ben voyons, mon amour, je vais juste voir où les filles travaillent ! Puis, si ça me plaît, je vais pouvoir me joindre à elles, moi aussi. T'aimerais pas ça, que je gagne un peu d'argent ?

Pour toute réponse, Axel me serre très fort contre lui.

Quinze minutes plus tard, Steve arrive, vêtu d'un complet. Il a l'air stressé et mécontent. Tandis qu'Axel tente de le convaincre de lui laisser sa soirée libre afin de venir avec nous, il me scrute de la tête aux pieds.

– Ta jupe, me lance-t-il brusquement, elle est ben trop longue ! On s'en va pas à l'église, sacrament ! Pis toi, lance-t-il à l'intention d'Axel, t'as du boulot, OK ? Tu me dois du *cash*, j'te rappelle.

L'air frustré, Axel se dirige vers le comptoir, se sert deux *shooters* de vodka, se prépare une ligne de coke. Pour ma part, je m'empresse d'aller me changer dans la chambre. J'ai déjà entendu Steve être bête avec des gens, mais jamais encore il ne l'avait été avec moi. Non, mais qu'est-ce qu'il croit, au juste ? J'ai seize ans ; je ne suis jamais allée dans un bar de ma vie ! Comment suis-je censée savoir comment je dois m'habiller ?

Je sors de la chambre cinq minutes plus tard, vêtue d'une jupe noire qui me couvre tout juste les fesses. Je ne me sens pas vraiment à l'aise, mais, à la boutique, Candy m'a tellement complimentée lorsque je l'ai essayée que j'ai fini par croire qu'elle m'allait super bien. Par ailleurs, comme c'est elle qui payait, je n'ai pas osé faire ma difficile... Je réalise que je commence à être fatiguée de dépendre des autres. J'ai hâte de moi aussi gagner de l'argent.

Nous montons dans la voiture, Axel à l'arrière et moi, à la place du passager. Coin Ontario et Papineau, Steve s'arrête pour faire descendre mon amoureux. Celui-ci se penche vers moi, m'embrasse tendrement sur les lèvres.

– Je t'aime, me murmure-t-il à l'oreille.

– Bon, c'est fini, le minouchage ? demande Steve d'un ton hargneux. J'ai pas toute la soirée, calvaire !

Axel descend de la voiture. Il reste là, sur le trottoir, alors que nous sommes immobilisés au feu rouge. Il me sourit, m'envoie un dernier baiser. À Steve, il lance un regard rageur. J'ai comme l'impression que leur relation s'est détériorée depuis un certain temps... Est-ce à cause de moi ? Je n'aurais peut-être pas dû me laisser caresser par Steve, l'autre soir... En même temps, ce n'était qu'un jeu, et Axel en a profité lui aussi avec Jade, Candy et les autres filles. Justement, comme si j'étais sa propriété, Steve pose une main sur ma cuisse. Je me sens mal à l'aise. J'ai hâte qu'on arrive.

# SORTIE DE SECOURS

Nous entrons dans le bar par la porte de derrière. Dans de petites pièces qui ressemblent à des loges, des filles sont en train de se préparer. Steve me mène à l'une d'elles, où Jade est installée.

– Hé ! Salut, ma puce ! s'exclame-t-elle en me voyant. Wow ! T'es super belle !

De plus en plus mal à l'aise, je me contente de sourire. Je commence à comprendre quel genre de travail exercent mes nouvelles amies. Et je ne suis pas certaine d'avoir envie de faire comme elles.

– Assois-toi, me suggère Jade en me désignant un tabouret.

Elle se penche sur la surface de la coiffeuse, sur laquelle elle s'est préparé deux lignes de coke. Je la regarde priser la drogue, presque indifférente. Si, il y a à peine un mois, c'est tout juste si je savais que les drogues dures existaient, voir des gens en consommer fait maintenant partie de mon quotidien.

Les yeux brillants, Jade me tend un verre de mousseux.

– Va t'asseoir dans la salle, me dit-elle. Le show va commencer dans cinq minutes.

Troublée, j'obtempère. D'ailleurs, Steve m'attend à la sortie de la loge. Il me prend par le bras, me conduit jusqu'à une table où nous prenons place tous les deux. Autour, des hommes me reluquent sans gêne. De nouveau cette impression de n'être qu'un morceau de viande. Je cale mon verre. Steve appelle le serveur, commande une bouteille de champagne. Le spectacle débute. Une après l'autre, les filles, dont Jade et Candy, font leur petit numéro. Tout en dansant, elles retirent leurs vêtements pour finir par s'exhiber, flambant nues, sur la scène. L'alcool aidant, je me détends enfin un peu. Après le dernier numéro, Steve me prend par la main et nous retournons dans les coulisses. Je titube, visiblement plus soûle que je ne pensais l'être. Les filles sont en train de se rhabiller. Steve leur donne, à chacune, plusieurs billets de cent dollars.

– Tu vois, me dit Candy en glissant l'argent dans la poche de son jean, c'est pas plus compliqué que ça. Toi, en plus, tu sais déjà danser, alors...

– Je faisais du ballet classique. C'est pas tout à fait la même chose !

– Les hommes capotent sur les ballerines, dit Steve en s'approchant de moi. Demain, ma belle, je veux te voir sur scène.

Planté devant moi, il plonge son regard dans le mien.

– Tu vis sur mon bras depuis des semaines. Tu danses une couple de fois, tu me rembourses, pis on n'en parle plus. *Deal* ?

En moi, la panique s'installe. Même pour beaucoup d'argent, jamais je n'aurai le courage, comme

Jade, Candy et les autres, de monter sur scène et de danser nue.

– Steve, soufflé-je en baissant les yeux tandis que mes « amies » m'observent, est-ce qu'on peut... euh... trouver une autre façon de s'arranger ? Parce que je pense pas être capable de danser...

– Ben voyons donc, s'exclame-t-il en me caressant la joue, c'est sûr que t'es capable ! Les filles vont t'aider pis tout va bien aller, hein, les *girls* ?

Alors que Steve sort de la loge, non sans m'avoir lancé un regard menaçant – contrastant avec son ton mielleux –, et que Jade et Candy s'approchent de moi, aussi dévouées que les servantes d'une reine, je réalise que je suis prise au piège.

***23 h 15***

Lorsque nous rentrons chez Steve, toutes les trois, c'est la fête, comme chaque soir. Personnellement, je n'ai envie de voir personne. Si j'avais une chambre à moi, je m'y enfermerais et n'en sortirais que demain matin, lorsque je me serais réveillée de mon cauchemar. Mais Steve est là et, dès qu'il me voit, il m'offre un verre, un joint, un comprimé d'ecstasy. Il prend soin de moi comme si j'étais une princesse. Le problème, c'est que je commence à comprendre que toutes ces choses-là ont un prix et que plus je fais la fête, plus ma dette grossit.

– Tu as vu Axel ? que je demande en ignorant son sourire et tout ce qu'il me propose.

D'un signe de tête satisfait, il me montre la porte fermée de la chambre d'amis.

– Quoi ? lâché-je en haussant les épaules.

– Ton beau Axel, c'est juste un petit pouilleux pas d'ambition. Moi, poursuit-il en me prenant par la taille et en approchant son visage du mien comme s'il s'apprêtait à m'embrasser, je te ferais jamais de mal, tu sais.

Je me dégage brusquement de son étreinte et m'approche de la porte, sur laquelle je frappe trois coups. Du coin de l'œil, je peux voir Steve qui continue à sourire bêtement. Comme personne ne me répond, j'ouvre et ce que je découvre à l'intérieur me scie carrément les jambes. Axel, la tête renversée et le pantalon descendu jusqu'aux chevilles, est debout près du lit. Agenouillée devant lui, une fille que je ne connais pas s'applique à lui faire une fellation. Lorsqu'elle m'aperçoit, elle s'immobilise et me regarde, l'air surprise. Axel, à son tour, pose les yeux sur moi, et je sens comme une poussée d'adrénaline me traverser le corps. Je bondis vers l'arrière et, en bousculant tout le monde, je m'empresse d'aller chercher, dans un coin du salon, mon sac à dos. Sans perdre une seconde, j'y jette les quelques babioles qui m'appartiennent et que j'ai déposées, dans le but de me créer un petit coin « à moi », sur la tablette de la bibliothèque qui me servait de table de chevet. Je laisse là le téléphone que Steve m'a offert.

Tandis qu'Axel se rue hors de la chambre en criant mon nom, j'ouvre à toute volée la porte de l'appartement. Une fois sur le trottoir, j'enlève d'une main mes talons hauts et, en minijupe et le cœur meurtri, je me mets à courir.

*   *
*

Ses doigts sur mon épaule ont sur moi l'effet d'une décharge électrique. Du coup, je lui lance un de mes souliers en plein visage.

– Raph ! Arrête ! C'est pas ce que tu crois ! gémit Axel en se tenant la joue.

– Ah oui ? Vous étiez en train de jouer aux Lego, peut-être ? que je hurle.

– C'est Steve ! Il m'a piégé ! Je te jure, Raph, je te jure que c'est vrai !

Ma main part toute seule ; je le gifle. C'est la première fois que je frappe quelqu'un et, sur le coup, cela me fait un bien fou. Mais il ne suffit que d'une seconde pour que je regrette mon geste. Car, malgré ma fureur et la blessure qu'il vient de m'infliger, j'aime Axel plus que tout. Une énorme boule se forme dans ma gorge et bientôt les larmes se mettent à couler sur mes joues, incontrôlables. Axel fait un pas vers moi et tente de me prendre dans ses bras, mais je le repousse.

– Moi qui pensais que tu m'aimais ! me lamenté-je, la voix étranglée par les larmes.

– Je t'aime, Raphaëlle, m'assure-t-il doucement. La fille de tantôt, c'est personne, pour moi. J'ai été con... Laisse-moi une chance, mon bébé..., me supplie-t-il tout en s'agenouillant devant moi.

Je m'approche et il enserre mes jambes de ses bras, pose son visage contre mon ventre. Ses larmes mouillent le tissu de ma camisole.

Après un moment, je me ressaisis.

– Viens, dis-je à Axel en l'incitant à se lever. Embrasse-moi.

Nous nous embrassons avec une tendresse qui a le goût du désespoir. Comme si, tout à coup, l'amour me faisait autant de mal que de bien.

– On fait quoi, maintenant ? que je demande, mon visage collé à celui d'Axel. Moi, en tout cas, je retourne pas chez Steve.

– Je travaille pour lui, Raph. On a pas...

– Il veut que je danse pour lui, le coupé-je en reculant d'un pas afin de plonger mes yeux dans les siens.

Comme incapable de soutenir mon regard, il s'éloigne en serrant les poings, donne un coup de pied dans une roche qui va rouler dans la rue. Lorsqu'il revient vers moi, il encadre mon visage de ses mains.

– Tu vas pas le faire, hein, Raph ? Dis-moi que tu vas pas le faire.

Je réponds non de la tête. Puis, je le prends par la main et nous nous mettons à marcher. De sa main libre, il tâte la poche de son jean.

– Écoute, dit-il, j'ai assez d'argent pour qu'on se paye un appart pour un mois. Je connais une place. C'est pas un château, mais, au moins, on aurait un endroit à nous.

Tout en continuant de marcher, je le contemple, les yeux brillants d'espoir. Depuis le temps que j'attends ça, je ne vais certainement pas refuser sa proposition.

– OK. Mais là, il doit être trop tard pour y aller, non ?

Nous passons la nuit dans un parc, allongés sur la veste d'Axel, à l'abri d'un buisson. Ça sent l'urine, il fait froid et c'est inconfortable, mais, malgré tout, loin de Steve et de sa bande, je me sens presque paisible. Axel s'agite dans son sommeil et je m'inquiète pour lui ; s'il ne travaille plus comme *pusher*, comment fera-t-il pour se payer sa drogue ? À moins qu'il n'accepte d'entreprendre une cure de désintoxication ?... Tout en me collant contre lui, je me dis que je lui en parlerai dès demain. En attendant, je ferme les yeux.

***Dimanche 9 octobre, 9 h 39***

Ce matin, Axel et moi nous réveillons, ensemble et bien au chaud dans un vrai lit... notre lit ! En regardant autour de moi, je me dis que non, je ne rêve pas :

une nouvelle vie semble vouloir commencer. Depuis hier, nous avons enfin un appartement bien à nous, tout meublé de surcroît. Certes, l'endroit est minuscule et plutôt misérable, mais, pourtant, je m'y sens déjà chez moi. Dans un coin, il y a une salle de bain exiguë et, dans l'autre, une cuisinette qui aurait grandement besoin d'être rénovée. Pendant la nuit, nous avons entendu toutes sortes de bruits en provenance de la ruelle et des logements voisins : des pleurs, des cris, des engueulades. Non, ce n'est pas un endroit de rêve ni même un lieu très « recommandable », comme dirait ma mère. Mais nous y sommes ensemble, Axel et moi, et, qui plus est, en sécurité. Pour l'instant, c'est tout ce qui m'importe.

Après avoir pris une longue douche brûlante (un véritable luxe !) et déjeuné d'œufs et de bacon, je réussis à convaincre mon chum qu'il nous faudrait bien consacrer quelques heures de notre journée au ménage de l'appartement. Pas que ça me tente particulièrement ou que j'aie beaucoup d'expérience dans le domaine, mais l'état des lieux l'exige. Je commence donc par la cuisine tandis qu'Axel s'occupe de la salle de bain. J'allume la radio (c'est tout ce que nous avons comme source de musique) et, en nettoyant les armoires, je me surprends à éprouver de la joie, une joie toute simple, faite de réconfort et de sérénité. En ce moment, je ne voudrais être nulle part ailleurs. Je m'accroche à ce sentiment de bien-être, en espérant qu'il durera le plus longtemps possible.

– Raph, me lance Axel alors que je suis en train de nettoyer l'évier, faut que je te dise quelque chose.

Je suspends mon mouvement, me tourne vers lui. Il se tient dans l'embrasure de la porte de la salle de bain, son éponge à la main. Il me regarde, l'air grave.

– La coke que j'ai, je l'ai piquée à Steve. Si jamais il me retrouve, il va me tuer. Pis c'est pas juste une façon de parler, Raph.

Il s'approche de moi, me prend par les épaules, plonge son regard bleu dans le mien.

– Faut jamais qu'il sache qu'on reste ici. Jamais, comprends-tu ?

Je hoche la tête, presque intimidée par le ton solennel qu'il vient d'employer. Voilà, déjà, mes amies la joie et la sérénité ont pris la fuite. Alors qu'Axel, tentant de me rassurer, me serre contre lui, je sens se former, au creux de mon ventre, un nœud.

### *14 h 18*

Dès que je vois, par la fenêtre, Axel tourner le coin de la rue, je me précipite dehors à mon tour et me rue vers la cabine téléphonique la plus proche. Le souffle court, le cœur battant la chamade, j'insère mes pièces de monnaie dans la fente de l'appareil. Mon père répond dès la première sonnerie.

– Salut, ma chouette, dit-il d'emblée. Je suis content de t'entendre.

– Salut, papa. Tu es avec maman, là ?

– Oui... Euh... Je pense qu'elle aimerait vraiment ça, te parler.

– Papa, je... Tu sais, je t'ai déjà expliqué..., que je marmonne, le cœur débordant de culpabilité.

– Écoute, enchaîne-t-il sans se laisser démonter, je pourrais mettre mon appareil sur haut-parleur pendant que tu parles avec ta mère. Comme ça, je reste avec toi, d'accord ?

– ...

– Raph ? T'es toujours là ?

Mon sentiment de culpabilité m'ordonne de dire oui.

– OK, papa, on fait comme ça.

J'entends mes parents échanger quelques mots. Je m'imagine avec eux, dans la cuisine, et cela me donne envie de pleurer. Puis, j'entends la voix de ma mère. On dirait celle d'une petite fille fragile. Pas de la mère trop sévère que je connais.

– Bonjour, Raphaëlle, prononce-t-elle doucement.

– Allô, maman, soufflé-je en tentant de garder le contrôle de mes émotions.

– Ton père m'a dit que tu allais bien, que ton copain et toi étiez en sécurité. Quand même..., ajoute-t-elle alors que je sens qu'elle lutte pour retenir ses larmes, j'aimerais ça... j'aimerais ça que tu reviennes à la maison.

Connaissant ma mère, je me doute bien que d'avouer de telles choses, sans crier ou sans menacer, n'est pas évident. Cela me touche plus que je ne voudrais bien l'admettre. Ainsi, pour éviter de me mettre à pleurer, je garde le silence, fixant obstinément un point au loin.

– Je sais que ton père t'a appris que je vivais des choses bouleversantes en ce moment, continue-t-elle. J'aurais préféré te raconter tout ça de vive voix ou, mieux encore, que tu sois à mes côtés pour le vivre avec moi, mais bon... j'ai compris que je ne pouvais pas te forcer à revenir.

Commençant à en avoir assez de leurs cachotteries et, surtout, m'imaginant le pire, je m'impatiente.

– Vous pouvez me dire ce qui se passe, maintenant ?

– Eh bien, c'est pas évident, Raph... Ta mère a reçu un appel récemment, un appel, disons...

Mon père m'énerve. Toujours à tourner autour du pot, à tenter de trouver les mots les plus appropriés possible avant de parler... À ce rythme-là, j'aurai atteint ma majorité avant de savoir de quoi il s'agit.

– J'ai eu un enfant quand j'avais ton âge, le coupe ma mère. Une petite fille.

Elle s'interrompt, sans doute pour reprendre le contrôle d'elle-même. Abasourdie, j'attends la suite.

– Je n'ai eu d'autre choix que de la donner en adoption, poursuit-elle. Mais voilà, il y a deux semaines, une travailleuse sociale m'a téléphoné pour me dire qu'elle, ma... ma fille me cherchait, qu'elle désirait me connaître. Alors voilà, tu as une sœur, Raphaëlle. Elle s'appelle Ariane et elle a trente-deux ans.

J'ai. Une. Sœur. Elle s'appelle Ariane. Elle a trente-deux ans. Sous le choc, je ne peux que me répéter ces mots, sans véritablement prendre conscience de leur signification.

– Ça va, Raphaëlle ? Dis-moi quelque chose...

Le ton presque suppliant de ma mère me donne envie de prendre l'air, de m'enfuir encore plus loin, toujours plus loin.

– Je sais juste pas quoi dire, maman. Et puis, il faut que j'y aille, là.

Après avoir salué mes parents qui, visiblement, auraient voulu que nous discutions encore, je raccroche et, la tête dans le brouillard, je rentre à l'appartement.

J'arrive à peine cinq minutes avant Axel, qui entre en sifflotant, un sac rempli de nourriture à la main.

– On va pouvoir se faire un vrai souper, mon amour, déclare-t-il en s'approchant de moi. Es-tu contente ?

Je m'efforce de sourire, d'avoir l'air heureuse. Ne semblant rien remarquer d'anormal, il entreprend de ranger les provisions dans notre petit frigo. J'aimerais tant pouvoir lui parler, partager avec lui ce que ma mère vient de m'apprendre, lui confier ce secret qui me brûle tout entière ! Lui dire que j'ai une sœur, une grande sœur qui a deux fois mon âge et que, pendant toutes ces années, ma mère a caché son secret, que chaque matin peut-être, en ouvrant les yeux, elle pensait à elle, Ariane, et se demandait comment elle allait, si elle lui ressemblait, si sa famille adoptive s'en occupait bien. Mais j'ai peur que, si je lui raconte tout cela, Axel se fâche, qu'il menace de partir et que notre bonheur tout neuf vole en éclats. Alors je me tais, je garde cela pour moi, j'enferme ma mère et Ariane dans mon tiroir à secrets.

***18 h 45***

Alors que je suis en train de préparer le souper, Jacques, un de nos voisins de palier, vient cogner à notre porte.

– Tu te cherches toujours une job ? demande-t-il à Axel en s'assoyant à la petite table ronde.

– Oui...

– Ça tombe ben, le jeune, parce que le plongeur qui travaille avec moé au resto vient de donner sa démission. Ça t'intéresserait-tu ?

– Sérieux, *man* ? s'empresse de répondre Axel en prenant place près de lui à la table. C'est sûr que ça m'intéresse !

Nous nous regardons un bref instant, des étincelles d'espoir dans les yeux.

– Je vais parler de toi à mon boss ce soir pis je t'en donne des nouvelles demain, lance Jacques. Ça fait que bonne soirée, les amoureux, ajoute-t-il en se levant.

– Merci, *man* ! Au fait, reprend Axel en l'accompagnant jusqu'à la porte, tu connaîtrais pas un *dealer* dans le coin ?

Tandis qu'il referme derrière lui, afin de poursuivre sa conversation avec Jacques dans le corridor, je pousse un long soupir de découragement ; visiblement, mon amoureux n'est pas sur le point de cesser de consommer...

### *Lundi 10 octobre, 9 h 58*

Ce matin, le soleil brille haut dans le ciel, faisant scintiller les feuilles des arbres. L'air est frais ; c'est une belle journée d'automne. Malgré ma fatigue – j'ai à peine dormi cette nuit, ne pouvant m'empêcher de ressasser et de retourner en tous sens les paroles de ma mère –, je marche d'un bon pas en direction du refuge. Justine m'a dit de ne jamais hésiter à venir la voir ; c'est ce que je fais. Hier, avant que ma mère me révèle que ma sœur s'appelait Ariane, j'ai cru, pendant un court instant, qu'il s'agissait de Justine. Ç'aurait été drôlement étrange que ce soit le cas. Quoi qu'il en soit, il faut absolument que j'en parle à quelqu'un. Et Justine me semble être la mieux placée pour me comprendre et me conseiller sur ce qu'il convient de faire dans ce genre de situation.

J'ai de la chance : elle est là et elle a du temps pour discuter avec moi.

– Tu as déjeuné ? me demande-t-elle alors que je m'installe dans son bureau.

– Oui, j'ai mangé un bol de céréales.

– Tiens, prends quand même ça, insiste-t-elle en déposant devant moi une galette à l'avoine et une boîte de jus.

– Merci.

– Qu'est-ce que je peux faire pour toi aujourd'hui, ma belle ?

Ce que j'aime tout particulièrement de Justine, c'est que, même si elle est probablement débordée, elle agit comme si elle se trouvait devant la personne la plus importante du monde et que m'écouter constituait sa priorité. Tout le contraire de ma mère, que j'avais continuellement l'impression de déranger...

– Raphaëlle ? m'interpelle doucement Justine.

Émergeant de mes pensées, je reviens sur terre.

– Je... j'ai appris une grosse nouvelle et il faut que j'en parle à quelqu'un.

Elle se lève, contourne son bureau et vient s'asseoir sur la chaise libre près de moi. Je songe que si ma sœur, Ariane, est comme elle, jamais plus je ne me sentirai seule.

# - 8 -

***Dimanche 16 octobre, 15 h 25***

Axel travaille maintenant au restaurant La flûte d'argent, avec Jacques. Il a un horaire de soir et, après son *shift*, il lui arrive fréquemment de sortir prendre un verre avec ses collègues. Lorsqu'il rentre enfin, vers trois ou quatre heures du matin, il est tellement soûl et gelé qu'il s'effondre près de moi sur le lit, sans même m'embrasser. Et le matin, évidemment, puisqu'il s'est couché très tard, il ne se lève pas avant midi. Bref, à part quelques heures en après-midi, on ne passe pratiquement plus de temps ensemble. Ces moments où, allongés l'un contre l'autre, on éprouvait un plaisir tout simple à rire, à discuter et à se caresser me manquent cruellement.

Tous les trois jours, dès qu'Axel part travailler, je me rends au refuge – où il y a un téléphone que nous pouvons utiliser gratuitement – pour appeler mon père. Ce n'est pas toujours facile ; il ne comprend pas pourquoi je ne reviens pas à la maison alors que tout le monde m'y attend à bras ouverts, y compris ma mère qui, selon lui, a beaucoup changé depuis que je suis partie. Et il me parle aussi évidemment d'Ariane, ma « nouvelle » sœur, qu'il a rencontrée et qui est soi-disant une jeune femme extraordinaire. Selon lui, je vais l'adorer. N'ai-je pas hâte, moi aussi, de la connaître ? Mon père ne semble pas réaliser le choc que c'est pour moi d'apprendre que je ne suis plus enfant unique, que le cœur de ma mère, que je croyais déjà trop petit pour m'accueillir, loge en fait deux enfants. D'ailleurs, peut-être m'a-t-elle déjà oubliée ? Si Ariane est si extraordinaire que le dit mon père, je ne vois pas pourquoi ma mère aurait toujours besoin de moi... J'ai discuté de tout cela avec Justine, qui, tout doucement, m'invite à voir les choses sous un autre angle : et si l'arrivée de cette sœur était l'occasion de transformer, de recréer nos liens familiaux ?

– Mais je te comprends d'avoir peur, Raphaëlle. La semaine dernière, quand j'ai rencontré ma mère biologique pour la première fois, ç'a été un choc. Je me l'étais imaginée d'une certaine façon, mais, finalement, c'était pas du tout ça. Je pense même que j'ai été un peu déçue... déçue d'elle et aussi de moi-même...

– Pourquoi ?

– Eh bien, je crois que je m'attendais à éprouver d'emblée pour elle un élan d'amour, ou du moins de l'affection, mais non... J'avais plutôt l'impression d'avoir devant moi une étrangère avec qui je n'ai rien en commun.

– Vous allez vous revoir ?

– Oui, parce que, malgré tout, j'ai envie de me laisser le temps de la connaître. Au fond, je suis pas pressée !

Après mes appels téléphoniques et mes conversations avec Justine, je reste souvent à souper au refuge. Car, même si j'ai maintenant un appartement à moi, le frigo n'est pas toujours bien rempli... Puis, ces visites font passer le temps plus vite et, l'espace de quelques heures, je me sens bien entourée ; même si les gens que je côtoie ici ne sont pas nécessairement mes amis, nous avons au moins une chose en commun : nous vivons d'une certaine façon en marge de la société. Ainsi, personne ne juge personne et, en plus de me sentir en sécurité, j'ai le sentiment que je peux être moi-même. Je me demande ce qu'avant – avant ma fugue, je veux dire – j'aurais pensé de ces jeunes. Non, ils ne sont pas tous beaux à voir : la plupart ont des problèmes de toxicomanie depuis plusieurs années déjà ; certains, comme Sam, qui pense que les écureuils veulent sa peau, ont arrêté de consommer mais en ont conservé des séquelles ; d'autres sont aux prises avec de graves problèmes de santé mentale. En même temps, ils ont toujours quelque chose d'intéressant ou de drôle à raconter ; quand je suis ici, je me surprends souvent à rire de bon cœur. Ça fait du bien.

Le problème, avec mes visites au refuge, c'est le retour. Seule dans l'obscurité de la nuit, je me souviens de Steve, de la mise en garde d'Axel : « Si jamais il me retrouve, il va me tuer. Pis c'est pas juste une façon de parler, Raph. » Alors, je marche vite, la peur au ventre. J'essaie de me comporter comme si tout était normal, mais ce n'est pas si facile ; je fais des détours pour éviter de circuler aux endroits où je sais que lui et sa gang se tiennent, je ne peux m'empêcher de jeter furtivement des regards par-dessus mon épaule. Et, quand j'arrive chez moi, je vérifie deux fois plutôt qu'une que personne ne m'a suivie. Inutile de dire que lorsque je suis enfin bien en sécurité dans mon appartement, j'éprouve un indicible sentiment de soulagement.

Sinon, honnêtement, même si je suis contente que mon amoureux ait désormais un travail, je m'ennuie pour mourir. À part pour me rendre au refuge, je n'ose pratiquement pas sortir de l'appartement tellement j'ai peur de Steve. C'est la même chose quand je suis avec Axel : nous ne nous aventurons à l'extérieur que pour le strict nécessaire. Quand je suis partie de chez moi, je pensais que, loin de ma mère, je serais enfin libre. En ce moment, même si, en théorie, il n'y a plus personne pour me dire quoi faire, je me sens plus que jamais prisonnière de ma propre vie. Comme quoi la liberté est une notion pas mal plus complexe qu'on ne le croit.

## *Mercredi 19 octobre, 13 h 50*

Axel vient de partir travailler, en compagnie de Jacques. Aujourd'hui, il fait un « double », mais m'a promis de rentrer dès la fin de son *shift*, vers vingt-trois heures. Je regarde par la fenêtre ; il fait beau et les gens dans la rue marchent d'un pas léger. Dans le petit parc en face, sous le feuillage rouge et orangé des arbres, une bande de jeunes s'est réunie. Je les observe qui rient et chahutent un moment, boivent à même des bouteilles de bière dissimulées dans des sacs bruns. Ils semblent avoir le même âge que moi et je me demande pourquoi ils ne sont pas à l'école. Peut-être que ce sont des décrocheurs... Est-ce que moi, je suis une décrocheuse ? J'ai beau être ici en ce moment, on dirait que je ne m'imagine pas pour autant abandonner mes études. En même temps, reprendre celles-ci là où je les ai laissées le mois dernier ne me paraît pas non plus envisageable... du moins pour l'instant.

Me détournant de la fenêtre, je fais des yeux le tour de notre un et demie. Dans un coin, le lit ; un lit double sur lequel est posée une couette rouge tachée et parsemée de brûlures de cigarettes. Près de lui, un meuble de mélamine noire sur lequel est installé le téléviseur, et une étagère pratiquement vide. Face au meuble télé, un vieux fauteuil vert émeraude fatigué. Tout au fond, la cuisine, équipée d'électroménagers d'un blanc terni par le passage des années, d'un petit évier, de quelques armoires et d'une table ronde sur laquelle j'ai posé un vase contenant des fleurs volées çà et là dans les rocailles et les parcs du quartier. Je croyais que ces fleurs égayeraient les lieux, qu'elles mettraient un peu de lumière dans la grisaille, mais, en ce moment, je ne peux qu'admettre que je me suis trompée.

Soudainement, je sens monter en moi une rage sourde, semblable à celle qui me faisait trembler tout entière lorsque ma mère entrait dans ma chambre sans cogner pour me hurler par la tête. La mâchoire crispée et les poings serrés, je m'avance vers le vase. Je me vois déjà le prendre et le jeter contre le mur. Je l'imagine éclater contre celui-ci, l'eau laisser de longues coulisses sur la peinture vert pâle, les fleurs aller choir par terre, désormais parfaitement inutiles. Je m'entends crier à pleins poumons tout en piétinant les fleurs, arrachant un à un les pétales jusqu'à ce qu'il ne reste, au sol, que des tiges vertes et un insupportable mélange de jaune, de rouge, de rose et d'orangé.

Je passe près du bouquet de fleurs en refoulant ma rage, enfonçant profondément mes ongles dans les paumes de mes mains.

Je me dirige vers la porte, attrape mon sac et ma veste suspendus à un crochet. Alors que je m'apprête à sortir, j'aperçois l'appareil photo d'Axel, accroché au deuxième crochet, celui où mon chum a l'habitude de mettre sa propre veste. Déposant mes choses sur le coin du comptoir, je le sors délicatement de sa housse protectrice puis me dirige vers le bouquet, que je photographie sous tous les angles, zoomant pour faire des gros plans, comme me l'a appris Axel. Après quelques minutes, je réalise que je me sens apaisée. Gardant l'appareil avec moi, je récupère mes affaires et je me dirige, comme si le temps pressait, vers la sortie de l'immeuble.

Je traverse la rue et entre dans le parc. En passant près des jeunes que j'ai aperçus de là-haut, je les salue d'un signe de tête. Puis, tout comme j'ai photographié le bouquet de fleurs il y a quelques instants, je m'amuse à immortaliser les arbres et leur feuillage brillant dans la lumière automnale. Je prends des plans d'ensemble, des plans rapprochés, j'essaie plusieurs des fonctions de l'appareil photo. Je vais même jusqu'à m'allonger par terre, sur un tapis de feuilles mordoré, afin de les capter aussi de dessous, comme si j'étais un petit écureuil qui s'apprête à grimper pour aller déposer ses provisions dans son nid. Après une vingtaine de minutes passées à photographier les arbres, je décide de pousser plus loin mon exploration des lieux.

Assis par terre près de la sortie du parc, un vieil itinérant lève les yeux vers moi alors que je passe devant lui. Dans ses pupilles, malgré sa solitude et sa pauvreté évidentes, brille une petite flamme qui me donne envie de m'arrêter et, pourquoi pas, de m'asseoir près de lui un moment.

– Bonjour, le salué-je doucement. Je peux vous tenir compagnie un instant ?

Il me fait signe que oui, m'observe avec une curiosité affichée. Ça doit être rare que les gens s'arrêtent pour lui parler et encore davantage pour lui proposer de la compagnie.

– Je m'appelle Raphaëlle, me présenté-je en m'assoyant par terre à côté de lui.

– Raphaëlle..., répète-t-il. C'est un beau nom, ça. T'es pas à l'école, aujourd'hui, Raphaëlle ?

– Euh... non. C'est... euh... c'est une journée pédagogique.

Je préférerais lui dire la vérité, mais je n'ose pas prendre ce risque.

– Pis t'as rien d'autre à faire que de venir jaser avec un vieux tout croche comme moi ? s'étonne-t-il en rigolant.

– En fait, si ça vous dérange pas, j'aimerais ça, vous prendre en photo, énoncé-je tandis qu'une inspiration subite traverse mon esprit.

Mon idée semble l'amuser.

– J'suis pas ben bon pour poser. J'ai pas vraiment ce qu'on peut appeler un « sourire Colgate », comme tu peux voir, admet-il en souriant, me laissant entrevoir, par le fait même, ses dents noircies.

– Je vous demande pas de prendre la pose ni même de regarder l'objectif... Juste d'être vous-même. Tiens, vous pourriez peut-être me raconter votre histoire ? Je prendrais des photos pendant que vous parlez.

L'idée a l'air de lui plaire. Je lui tends la barre tendre que j'avais prévue comme collation d'après-midi en songeant que, si je trouve ma « nouvelle vie » bien misérable parfois, la sienne doit être mille fois plus difficile. Et c'est ainsi que, tout en grignotant la friandise, monsieur Patrice – tel qu'il se présente – partage avec moi ce qu'il a vécu.

Une trentaine de minutes et quatorze photos plus tard, je me relève, émue, et salue monsieur Patrice en promettant de revenir le voir.

– Mais je veux pas que tu manques l'école pour ça, hein ?

– Promis, le rassuré-je, un peu honteuse de lui mentir alors qu'il vient de se confier à moi.

Après un dernier au revoir, je sors du parc et descends la rue Saint-Denis jusqu'à Sainte-Catherine. Afin d'éviter que Steve ou un membre de sa gang me repèrent, je marche tranquillement, les mains dans les poches, mon capuchon sur la tête. Tout en observant subtilement les alentours, je pense à monsieur Patrice, à ce qu'il m'a raconté. Je n'en reviens pas que cet homme, qui était marié et qui avait sa propre boîte de graphisme, se soit retrouvé à la rue, en quelques mois à peine, à cause de ses problèmes de toxicomanie. Au début, selon ses dires, il consommait un peu, surtout avec des amis, pour s'amuser et pour se détendre. Il pensait avoir le contrôle de lui-même. Puis, peu à peu, il s'est mis à consommer de plus en plus souvent, jusqu'au moment où il s'est rendu compte qu'il ne pouvait plus fonctionner sans alcool, sans *speed*, sans cocaïne. Et, à partir de là, tout ce qu'il possédait lui a glissé des mains, tout lui a échappé... Non seulement ça m'attriste, mais je ne peux m'empêcher de comparer la situation de monsieur Patrice à celle d'Axel. Est-ce que mon chum va consommer jusqu'à être obligé de dormir toutes les nuits dans un parc ? Est-ce que moi aussi, je vais écoper ? Je me promets que, dès ce soir, je parlerai à Axel. Je lui soulignerai que cela n'a plus de sens, qu'il doit absolument arrêter de consommer s'il ne veut pas qu'on finisse par perdre le peu que nous avons.

J'arrive au parc de l'Espoir, coin Panet et Sainte-Catherine. Là se trouve un piano public que j'ai repéré il y a quelques semaines, sans toutefois avoir osé m'en approcher. Mais, aujourd'hui, j'ai besoin de sentir les touches sous mes doigts. Les noires, les blanches et la musique, la musique qui, malgré tout, malgré le fait qu'elle soit, quelque part, si intimement liée à ma mère, me manque plus que je ne veux bien me l'avouer. Un homme d'un certain âge joue un air classique sous le regard indifférent des passants. Assise à proximité, sur un bloc de granit, j'attends mon tour tout en surveillant, du coin de l'œil, les gens qui circulent dans la rue. Une dizaine de minutes plus tard, lorsque l'homme s'en va enfin, je m'approche du piano d'un pas lent. Je m'installe sur le banc, mon sac sur les genoux, l'appareil photo d'Axel au cou, et je ferme les yeux tout en prenant une profonde inspiration. Puis, comme mues par l'impatience, mes mains se posent sur les touches et j'entame *Lettre à Élise*, de Beethoven.

Alors que je joue et que, confusément, je vois des gens s'attrouper autour de moi, des souvenirs lointains me reviennent ; moi à six ans, commençant à jouer du piano, répétant obstinément tous les soirs dans le seul but d'être capable, un jour, de maîtriser cette pièce et de l'offrir à ma meilleure amie. Et puis, avec le temps, les répétitions sont devenues de plus en plus éprouvantes, alors que ma mère avait commencé à nourrir des aspirations qui n'étaient pas les miennes, jetant chaque jour un peu plus d'ombre sur le plaisir tout simple que je ressentais encore à jouer.

Une petite foule est maintenant réunie autour du piano. Les gens me sourient, semblant apprécier ma prestation improvisée. Une fois la pièce terminée, une fillette debout près de moi me demande de jouer encore. Pour elle, j'enchaîne donc avec *Mistral gagnant*, puis je conclus avec *Let It Be*, des Beatles. Ma mère n'aimait pas tellement que je joue ces airs plus populaires ; elle ne croyait qu'à la musique classique. Lorsque la dernière note résonne dans l'air encore doux de l'automne, des applaudissements fusent et des gens s'approchent pour me féliciter. Avant de partir, certains, supposant visiblement que je manque d'argent, posent quelques pièces sur le piano. Est-ce que ce sont mes cheveux bruns et mal coupés, dont on voit maintenant la repousse blonde, qui me trahissent ? Ou encore mes vêtements sans style, que je dois porter pendant plusieurs jours d'affilée avant de pouvoir les laver ? Quoi qu'il en soit, je prends les pièces, les glisse dans ma poche. Au total, il doit y avoir sept ou huit dollars.

Je quitte le parc en me promettant d'y revenir dès que possible. Je n'aurais pas cru que jouer du piano me ferait autant de bien. En fait, je pense bien qu'en dix ans, c'était la toute première fois que je jouais simplement pour le plaisir, sans craindre le jugement de ma mère, les maladresses ni les fausses notes.

* *
*

Avant de rentrer à l'appartement, je passe à la crèmerie, me paie une coupe glacée au caramel que je déguste chez moi, devant la télévision. Alors que je m'apprête à éteindre cette dernière et à reprendre, allongée sur le lit, la lecture de ce roman policier que j'ai déniché, il y a quelques jours, dans une boîte à livres, trois coups brefs résonnent à la porte. Je me fige et mon sang fait trois tours ; je n'attends personne. À moins que ce ne soit qu'un voisin ? D'un pas furtif, je m'approche de la porte et regarde par le judas. Merde ! C'est Steve ! Comment a-t-il fait pour nous retrouver ? Probablement m'a-t-il suivie après m'avoir vue au parc de l'Espoir. Tout à coup, je m'en veux à mort d'être sortie, d'avoir poussé l'audace jusqu'à aller jouer du piano dans un endroit public. Quelle imbécile je suis ! Retenant mon souffle, je recule, résolue à laisser croire à Steve qu'il n'y a personne ici. Si je n'ouvre pas la porte, il finira par se tanner d'attendre et il s'en ira. Par contre, maintenant qu'il sait où nous habitons, c'est certain qu'il reviendra. Voilà qu'à cause de moi et de ma bêtise, nous sommes maintenant en danger... Steve cogne de nouveau à la porte.

– Raphaëlle, lance-t-il derrière le panneau de bois, ouvre-moi, il faut que je te parle !

Non, non, non ! Je recule encore et, dans mon affolement, j'accroche une chaise qui heurte la table avec un bruit sec. Un bruit assez fort pour que Steve l'ait entendu aussi.

– Raphaëlle, répète-t-il comme s'il s'adressait à une enfant de cinq ans, ouvre la porte, je sais que t'es là !

Je reste immobile. Paralysée par la peur.

– Si t'ouvres pas la porte tout de suite, je vais crier, Raphaëlle !

J'envisage un bref instant d'appeler la police, mais je me rends vite compte de l'absurdité de cette idée. Dans ma situation, nul ne peut me venir en aide, et dénoncer Steve signerait à coup sûr la fin immédiate de ma soi-disant liberté.

Je m'avance lentement vers la porte. Je ne peux pas croire que je suis rendue là : seule dans un un et demie misérable, à trembler devant un petit *bum* tout aussi minable. C'est comme si, tout à coup, la réalité me rattrapait et que, soudainement, tout devenait clair. Non, je ne devrais pas être ici. Non, cela ne peut pas continuer ainsi.

Par le judas, je regarde Steve. Vêtu d'un complet, comme à son habitude, il fait les cent pas dans le couloir, l'air nerveux. Il a probablement *sniffé* plusieurs lignes de coke avant de venir. Par contre, il ne semble pas armé... du moins, pas à première vue. Je déverrouille la porte et l'entrouvre légèrement, tout en laissant la chaîne de sûreté. Steve s'approche.

– Salut, princesse. Tu me laisses entrer ? J'ai besoin de te parler cinq minutes...

– Qu'est-ce que tu veux ? que je demande sans ouvrir davantage.

– Laisse-moi entrer, sacrament, dit-il, les dents serrées. J'ai pas envie de parler de ça dans un osti de corridor.

Justement. En ce moment, la seule façon pour moi d'assurer ma sécurité est de faire en sorte qu'il reste dans le corridor. De toute façon, s'il tente de défoncer la porte, tous les voisins l'entendront et, avec un peu de chance, l'un d'eux se portera à ma défense ou appellera la police. Et, si je n'ai pas envie de voir la police débarquer ici, Steve non plus, j'en suis sûre.

– Écoute-moi bien, ma belle brune. Je vais revenir dans deux jours pis je te jure que, si ton pouilleux de chum pis toi avez pas mon *cash* pis tout le reste, je donne pas cher de votre peau. C'est-tu clair ?

Mes mains tremblent, mais je ne le montre pas.

– C'est clair, prononcé-je d'une voix qui, tel un piano désaccordé, sonne faux.

Alors que je m'attends à ce qu'il tourne les talons, Steve fait un pas vers moi et, dans un mouvement aussi rapide que discret, pointe sous mon menton la lame d'un couteau. Le métal froid sur ma peau me fait l'effet d'une décharge électrique. Je me jette en arrière et, d'un coup de pied, referme la porte, que je m'empresse de verrouiller. Le cœur battant, je reste là, plus que jamais pétrifiée par la peur. Après un moment, j'ose enfin regarder par le judas. Le corridor est désert. Je ne me sens pas rassurée pour autant ; Steve est peut-être tapi dans l'ombre de la ruelle, attendant Axel pour lui faire la peau. Il faut absolument que je prévienne ce dernier, lui fasse savoir qu'il doit se mettre en sécurité, qu'il ne doit pas revenir ici après son travail. Mue par l'adrénaline, je prends un couteau dans le tiroir de la cuisine, le glisse dans la poche arrière de mon jean, cachant le manche avec mon t-shirt. Puis, avec d'infinies précautions, je sors dans le couloir. Jacques est le seul voisin que je connais, mais, comme il travaille lui aussi ce soir, inutile d'aller frapper à sa porte. Je tente ma chance en allant cogner à la porte du logement se situant juste en face du nôtre. Pas de réponse. Je me dirige donc vers la porte se trouvant tout au bout du corridor. Je cogne. Un homme d'une soixantaine d'années, visiblement ivre et portant un t-shirt taché, vient m'ouvrir.

– Bonsoir, monsieur, dis-je. Je viens de perdre mon téléphone et j'ai une urgence. Est-ce que je pourrais utiliser le vôtre, s'il vous plaît ? Je n'en aurais que pour une minute ou deux...

Tandis que je parle, il me scrute de la tête aux pieds, visiblement surpris par ma demande. Puis, sans un mot, il me tend son cellulaire.

– Rentre, me propose-t-il en s'effaçant pour me laisser passer. Tu seras plus à l'aise pour parler.

Tout en composant le numéro du restaurant où travaille Axel, je pénètre dans le logement, qui semble tout aussi misérable que le nôtre. Du coin de l'œil, je vois l'homme refermer la porte sans cesser de me regarder le derrière avec perversité.

– Axel ? me hurle son patron à l'autre bout du fil. Je le cherche, justement ! Il devait faire un double aujourd'hui, pis il est même pas rentré !

J'ai à peine le temps de le remercier qu'il a déjà raccroché. Tentant de contenir ma fureur, je rends son appareil à mon voisin. Celui-ci en profite pour m'attraper par le bras et me tirer vers lui. Tandis qu'en me débattant, je laisse tomber le téléphone au sol, il me pétrit un sein de la main gauche tout en maintenant, de sa main droite, sa prise sur mon bras.

– Tu m'en dois une, la p'tite, dit-il. Enwoye, laisse-toi faire !

Assez aisément, je lui envoie un bon coup de pied dans les parties. En gémissant de douleur, il recule, lâchant ainsi mon bras. J'en profite pour me sauver à toutes jambes, dégoûtée mais tout de même heureuse de ne pas avoir eu à utiliser mon couteau.

### *23 h 42*

Je regarde la télévision pour faire passer le temps, pour tenter d'oublier qu'Axel n'est toujours pas rentré, qu'Axel n'est pas rentré travailler point, qu'Axel préfère consommer plutôt que d'être avec moi. En fait, je me sens à la fois furieuse, triste et inquiète. Et s'il lui était arrivé quelque chose ? S'il avait rencontré Steve en route ? Je me lève et vais à la fenêtre. J'observe le va-et-vient de la rue jusqu'à ce que les yeux me brûlent. Alors, je m'allonge sur le lit, épuisée par ma lutte acharnée contre le sommeil.

### *Jeudi 20 octobre, 5 h 03*

Je m'éveille en sursaut lorsque j'entends une clé jouer dans la serrure. Alors que je me redresse, le cœur battant comme un fou dans ma poitrine, Axel m'appelle doucement.

– Raph... Je peux pas rentrer... Pourquoi tu t'enfermes comme ça ?...

Je marche vers la porte en prenant bien mon temps. Je regarde par le judas. Axel est là, dans le couloir, les yeux au sol, l'allure instable, les cheveux décoiffés. Je me sens à la fois soulagée et hors de moi. Pense-t-il vraiment que nous avons une belle vie ensemble, tous les deux ? Que nous sommes réellement libres ? Remettant ces questions à plus tard, je retire la chaîne puis retourne m'asseoir sur le lit. Soûl et gelé comme jamais, il s'avance dans l'appartement, ôte avec peine sa veste et ses chaussures, puis titube jusqu'à moi et se penche pour m'embrasser. Je me tasse et il s'effondre sur le lit. Épuisée et en colère, je sonde mon cœur ; en ce moment, je ne ressens pour lui qu'une vague pitié. Rien à voir avec l'amour fou qui me faisait frémir tout entière il y a quelques semaines à peine. N'est-ce qu'un sentiment passager, ma colère prenant pour l'instant toute la place, ou est-ce réellement la fin de notre histoire d'amour ? Je ne sais pas, je ne sais plus...

– T'étais où ? Ton boss m'a dit que t'étais pas rentré travailler..., que je lui demande en le secouant sans ménagement.

– J'ai juste pris un petit congé, marmonne-t-il avec une indifférence affichée.

– Un petit congé ? répété-je en haussant le ton. Eh bien moi, sais-tu quoi ? J'ai eu de la belle visite !

Il se redresse, me questionne du regard.

– Ton ami Steve avait le goût de prendre un café avec toi ! Mais t'inquiète pas, que j'ajoute en m'éloignant brusquement du lit, il va revenir dans deux jours !

– Quoi ? rugit-il en se levant à son tour, recouvrant subitement ses esprits. Comment ça se fait qu'il sait où on habite ? T'es sortie, c'est ça ?

Nous passons l'heure suivante à nous engueuler violemment. J'en viens à lui crier qu'il n'est qu'un *junkie* incapable de prendre ses responsabilités ; il prétend que je ne suis qu'une petite fille gâtée qui ne connaît rien à la vie. Je hurle que je regrette d'avoir tout quitté pour lui ; il réplique, avec un froid détachement, que je peux bien retourner chez mes parents si c'est ce que je veux, qu'il s'en fout de toute façon. C'est notre première chicane ; jamais je n'aurais cru que de simples mots pouvaient faire si mal.

### *6 h 08*

Je quitte l'appartement en claquant la porte derrière moi. Sur le trottoir désert, je cours, aveuglée par les larmes, je cours jusqu'à ce que mon cœur menace d'exploser. J'aime Axel et je le déteste tout à la fois ; je souffre et je ne sais plus où j'en suis. Je finis par entrer dans un café, m'installe à une table, commande un double allongé. La serveuse me regarde avec une étrange insistance ; a-t-elle vu ma photo circuler sur les réseaux sociaux, mon visage de jeune fille sans histoire imprimé sur du papier journal ? Peut-être me reconnaît-elle. Peut-être même a-t-elle déjà contacté la police... Je bois mon café rapidement et, après avoir laissé une poignée de monnaie sur la table, je sors alors qu'elle a le dos tourné.

Je marche sans but pendant l'heure qui suit, à la fois tranquille et aux aguets, observant la ville qui s'éveille, avec des yeux éteints, comme fermés de l'intérieur. À chaque coin de rue, j'espère voir arriver Axel, qu'il me prenne dans ses bras, qu'il me dise qu'il m'a cherchée partout, qu'il regrette ses paroles méchantes, qu'il va arrêter de consommer, qu'il le fera pour moi, pour nous. Mais Axel n'arrive pas et, le jour s'étant maintenant levé, je réalise que je dois impérativement me mettre à l'abri. Je ne veux pas retourner à l'appartement, pas tout de suite du moins. Dans ma poche, j'ai la carte de Justine, sur laquelle elle a ajouté, à la main, son numéro de cellulaire personnel. J'entre dans une cabine téléphonique, dépose la monnaie nécessaire dans la fente et compose le numéro.

### *9 h 15*

Comme convenu tout à l'heure au téléphone, je rejoins Justine au refuge. Elle m'attend dans son bureau, simplement vêtue d'un jean et d'un t-shirt rose, ses longs cheveux blonds flottant sur ses épaules. Sans attendre, elle m'invite à m'asseoir et pose devant moi un muffin et un verre de jus d'orange. Je dévore en silence la moitié du muffin tandis qu'elle prend ses messages tout en me couvant du regard.

Lorsque j'ai fini de manger, elle me demande ce qui se passe. Je lui raconte les derniers événements : le nouvel emploi d'Axel, sa consommation excessive d'alcool et de drogues, ma solitude. Et puis, je pleure et je tremble en lui parlant de la visite de Steve, du couteau sous ma gorge et, enfin, de ma chicane avec mon chum. Elle m'écoute sans m'interrompre, ses grands yeux bleus pleins d'empathie fixés sur moi.

– Raphaëlle, dit-elle enfin, mon travail est de m'assurer que tu es en sécurité. En ce moment, c'est-à-dire maintenant que Steve sait où vous habitez, je crois pas que tu le sois... Le mieux serait que tu viennes vivre ici, au refuge, pour quelques jours.

– Mais... euh... et Axel ? Il est pas en sécurité, lui non plus !

– Axel peut venir ici, lui aussi.

– Et après ? Il a pas d'argent pour rembourser Steve !

Justine se lève, contourne son bureau et s'approche de moi.

– Bon, écoute, Raphaëlle. C'est plate à dire, mais Axel a besoin d'aide. S'il continue à consommer comme il le fait présentement, il va finir par y laisser sa peau ! Je peux lui parler, lui donner de l'information sur les cures de désintoxication qu'on offre ici, mais c'est à peu près tout. Il est majeur et ses décisions lui appartiennent, tu comprends ?

Je hoche la tête, le visage ruisselant de larmes. Je pense bien que jamais encore je ne m'étais sentie aussi désespérée. Justine me fait signe de patienter une minute, puis elle sort de son bureau.

En attendant, je me tourne vers la fenêtre. Je pense à ma vie d'avant, à ma vie de maintenant. Et je réalise que, depuis quelque temps, à part durant les *trips* d'ecstasy avec Axel, je ne m'amuse plus vraiment. Je suis partie de chez moi pour être libre et, finalement, je me retrouve plus seule que jamais. De plus, depuis hier, depuis que je sais que Steve peut, à tout moment, apparaître devant notre porte, je suis carrément paralysée par la peur. Mais, si je retourne chez mes parents, je devrai renoncer à Axel. Axel que, malgré notre chicane, j'aime encore. Que deviendra-t-il si je ne suis plus là pour veiller sur lui ?

– On s'en va chez toi récupérer tes affaires, m'annonce-t-elle d'un ton sans réplique en prenant son manteau et son sac à main. Pour l'instant, je ne peux pas te laisser y retourner, c'est ma responsabilité. Je t'ai réservé un lit ici pour les cinq prochaines nuits.

Comme une automate, je me lève, ramasse à mon tour ma veste et la suis.

***11 h 02***

Justine gare sa petite voiture juste devant l'immeuble où je vis.

– On va faire comme on a dit, récapitule-t-elle avant d'ouvrir sa portière. Tu vas ramasser tes choses et, de mon côté, je vais parler à Axel.

Je hoche affirmativement la tête. Je redoute déjà la réaction d'Axel ; lorsqu'il verra Justine entrer, il se braquera, c'est certain. Cependant, malgré mon anxiété, je décide de faire confiance à la travailleuse de rue.

J'ouvre la porte de l'immeuble puis nous montons jusqu'à l'appartement. Je tourne la poignée, qui n'est pas verrouillée. Je pousse doucement la porte.

– Axel ?

Pas de réponse. J'entre dans la pièce sombre. Les rideaux sont tirés. Suivie de Justine, je m'avance et, dans la pénombre, j'aperçois mon amoureux couché sur le lit.

– Axel ? que je répète.

Je m'approche. Par terre, une bouteille de whisky vide, un garrot en plastique, une seringue. Sur le matelas, Axel dort. Je m'assois près de lui, le brasse un peu.

– Axel !

Sa peau est froide. Sans perdre de temps, Justine ouvre les rideaux, s'approche de lui, tâte son pouls. J'observe son expression, redoutant le pire.

– AXEL ! Non ! Réveille-toi !

Je crie, maintenant en proie à l'hystérie. Comme au ralenti, Justine prend son téléphone cellulaire, appelle une ambulance.

* *
*

Moins d'une heure plus tard, à l'hôpital, le décès par surdose d'héroïne d'Axel Cloutier-Bergeron, dix-huit ans, est constaté.

# - 9 -

***Lundi 24 octobre, 14 h 25***

Depuis quatre jours, depuis qu'Axel est mort, je suis effondrée. J'ai l'impression que c'est ma faute s'il a fait une surdose et je me répète sans cesse que, si j'étais restée avec lui au lieu de fuir, cela ne serait pas arrivé. Justine a beau essayer de me raisonner, me rappelant qu'Axel était toxicomane avant même de me rencontrer et qu'avec tout ce qu'il consommait, cela aurait pu se produire à n'importe quel moment, ça ne change rien. Mon sentiment de culpabilité prend toute la place. Et, bien sûr, il me manque affreusement. Nous ne nous sommes aimés qu'un mois et demi, mais, pour moi, c'est comme si nous avions toujours été amoureux. Et je sais que, désormais, il fera à jamais partie de moi.

Cet après-midi, Justine est de garde au refuge. Elle vient me rejoindre au salon où, assise seule sur le canapé, je fixe le vide. C'est la seule activité que je suis capable de faire en ce moment : fixer un point et tenter de ne penser à rien. Du moins, de ne plus penser à Axel, à la seringue, à la bouteille vide et au garrot qui traînaient par terre près de lui, à son visage livide, à ses mains qui plus jamais ne me toucheront, à ses lèvres froides sur lesquelles j'ai posé les miennes juste avant que les ambulanciers ne l'emmènent. Ne plus penser. Oublier.

– Raph, commence-t-elle doucement en prenant mon visage entre ses mains. Ton père vient de me donner un coup de fil. Il dit que tu lui as pas donné de nouvelles depuis plusieurs jours. Je l'ai rassuré en lui affirmant que tu étais ici et que tu allais le rappeler.

Je soupire, ne voyant pas comment je pourrais trouver la force de lui téléphoner, de lui mentir encore une fois en lui racontant que tout va bien.

– Je vais m'en occuper tout à l'heure, lui soufflé-je en espérant que, satisfaite, elle s'en ira et me laissera seule.

Mais Justine reste là et soupire à son tour.

– Écoute, Raphaëlle, reprend-elle sur un ton ferme, je vais peut-être te paraître directe, mais, si j'ai bien compris, tu as fugué il y a un mois pour être avec Axel. Mais, maintenant, tu dois faire face à la réalité : Axel est plus là et plus rien te retient ici !

Ces mots ont sur moi l'effet d'un électrochoc et je tressaille. Puis, sans que je l'aie vue venir, une immense colère s'empare de moi. Je saute sur mes pieds et j'enfonce mes ongles dans les paumes de mes mains. Si je ne me retenais pas, je me grifferais les bras et le visage jusqu'au sang et j'enverrais valser contre les murs tout ce qui se trouve autour de moi. À la place, je me mets à hurler après Justine.

– Pourquoi tu me dis ça, hein ? Pourquoi ? Pour me faire encore plus mal ? Tu prétends que tu veux m'aider, mais, au fond, tu t'en fous ! Tu veux juste te débarrasser de moi !

Je tourne les talons puis, les larmes me brouillant la vue, je me précipite à l'étage et me jette sur mon lit.

### *17 h 52*

J'ai pleuré, j'ai dormi et j'ai pleuré encore. Mais, surtout, j'ai réfléchi et j'ai réalisé que Justine a raison : maintenant qu'Axel est mort, je n'ai plus aucune raison de rester ici. De toute façon, comme je ne peux dormir au refuge que cinq nuits d'affilée, demain matin je devrai retourner à la rue et me débrouiller par moi-même. Mais, sans argent, sans cartes d'identité, sans travail, sans compagnons et, surtout, sans nulle part où aller, je n'en ai pas le courage. Et puis, même si, au cours du dernier mois, je n'ai pas voulu me l'avouer, ma vie d'avant, ma famille et mes amis me manquent. Cette vie-là, elle n'était pas parfaite, mais, quand même, c'était la mienne. Je sais bien que, désormais, rien ne sera plus pareil – à commencer par mon cœur en miettes –, mais j'ose croire que je saurai trouver en moi le courage de repartir à zéro.

Je descends au rez-de-chaussée, où Justine et les pensionnaires sont en train de s'activer en vue du repas du soir. Lorsqu'elle me voit, elle s'immobilise, une pile d'assiettes à la main. Je lui souris. Il ne lui en faut pas plus pour comprendre que ma décision est prise, que je suis prête à aller de l'avant.

– Excuse-moi pour tantôt, lancé-je en m'approchant d'elle. Je pensais pas ce que je t'ai dit.

– J'accepte tes excuses. C'est normal que tu te sentes en colère. Tiens, ajoute-t-elle en me tendant la pile d'assiettes, mets donc la table pour te faire pardonner !

Avec l'aide de Samuel, je dispose, devant les nombreuses chaises, les assiettes, les couverts et les verres. Pour la première fois depuis la mort d'Axel, je me sens bien, presque sereine. Je sais maintenant que le pire est derrière moi.

### *19 h 28*

Après le souper, Justine me reçoit dans son bureau afin que nous préparions ensemble la journée de demain. Elle commence par m'expliquer que, tout comme ma fugue, le retour à la « réalité » sera un choc et demandera une certaine période d'adaptation. Qu'on me posera beaucoup de questions auxquelles je n'aurai pas nécessairement envie de répondre, qu'on me jugera peut-être, que, parce que mon expérience de fugue m'a profondément transformée, je pourrais me sentir incomprise.

– Mais c'est pas tout, ajoute Justine. Tu es en deuil, Raphaëlle. Et le deuil, ça prend du temps. Je sais que tu as déjà tout un réseau chez toi, mais je recommande aussi que tu sois suivie par cette psychologue. Elle est sur la Rive-Sud, précise-t-elle en me tendant sa carte professionnelle, et elle a l'habitude de travailler avec des jeunes qui viennent de sortir de la rue ou qui reviennent de fugue.

Justine me demande ensuite de lui nommer, dans mes mots, les raisons pour lesquelles j'appréhende mon retour à la maison. Après avoir pris quelques minutes pour réfléchir, je réponds que ce qui me stresse surtout, c'est de ne pas savoir comment réagira ma mère : me fera-t-elle payer ma fugue et toute la déception, sans parler de l'inquiétude, que mon geste impulsif lui a causée ? Sera-t-elle fâchée lorsque je lui apprendrai que j'ai choisi d'aller vivre chez mon père ? À moins que sa fille aînée occupe déjà toute la place dans son cœur... Je m'inquiète aussi pour l'école, je crains de ne pas pouvoir rattraper mon retard... Et il y a le piano, en plus : ma mère sera probablement furieuse lorsque je lui annoncerai que j'ai décidé d'abandonner mes cours ainsi que le projet d'entrer, l'an prochain, à Vincent-d'Indy. En somme, c'est con, mais, malgré tout ce que j'ai vécu au fil du dernier mois, je me sens plus que jamais comme une petite fille qui a peur de se faire gronder.

– Arrête d'avoir peur, Raph, dit Justine, qui semble lire en moi comme dans un livre ouvert. Tes parents et tes amis seront sûrement bien plus soulagés qu'autre chose de savoir que tu vas bien et que tu as rien subi de grave pendant ta fugue. Tu sais, si tu avais agi autrement ou si tu avais eu moins de chance, il aurait pu t'arriver n'importe quoi... Tu as su éviter tous les pièges qu'on te tendait et, pour ça, je suis drôlement fière de toi.

Je pense à Jade, à Candy et à tous les autres jeunes qui ont croisé ma route ces dernières semaines. C'est vrai que, pour moi aussi, les choses auraient pu tourner mal. Si j'avais accepté de danser, comme Steve me le demandait, par exemple. Ou si j'avais décidé d'accompagner Axel dans sa consommation de drogue et d'alcool... Peut-être bien que mon côté « petite fille sage » m'a sauvée, m'empêchant de prendre les mauvaises décisions. Peut-être aussi que le soutien que m'a offert Justine y est pour quelque chose... Comme si elle lisait dans mes pensées, cette dernière prend la parole.

– Je suis toujours contente de te voir, Raphaëlle, mais je suis encore plus contente de savoir que, demain, tu vas rentrer chez toi. La rue est pas un endroit où il fait bon vivre, et je pense que tu commences à t'en rendre compte, n'est-ce pas ? Ta liberté, en tout cas, c'est pas ici que tu vas la trouver.

Je comprends bien ce qu'elle veut dire. D'ailleurs, elle emploie toujours les bons mots pour me parler, pour exprimer ce que je ressens au plus profond de moi. Ça me fait de la peine de penser qu'on ne se verra plus.

– En tout cas, merci pour ce que tu as fait pour moi, que je marmonne, ne sachant pas comment lui exprimer ma gratitude. J'espère que ma sœur est aussi cool que toi...

Justine sourit.

– Je sais pas si elle est cool, mais je sais qu'elle a de la chance d'avoir une petite sœur comme toi.

Je souris à mon tour.

– Il va maintenant falloir penser à appeler tes parents, enchaîne-t-elle. D'ailleurs, à ce sujet, j'ai quelque chose à te proposer...

***Mardi 25 octobre, 11 h***

Ce matin, Justine et moi sommes retournées à l'appartement afin que j'y récupère mes effets personnels. Elle m'avait avisée du fait que les parents de mon amoureux y seraient aussi, qu'ils voulaient ramasser ses affaires. J'étais à la fois nerveuse et curieuse à l'idée de les rencontrer. Lorsque nous sommes arrivées, ils étaient déjà dans le hall de l'immeuble, accompagnés du concierge. Le père, un homme grand et mince, nous a saluées froidement. Il semblait mal à l'aise et déjà pressé de repartir. La mère d'Axel, quant à elle, nous a chaleureusement serré la main. Elle m'a offert ses condoléances en me regardant avec une sollicitude toute maternelle. Comme je ne savais pas quoi dire, je me suis contentée de sourire bêtement. En fait, comme je m'étais attendue à faire la connaissance d'une femme rigide et antipathique – telle que me l'avait décrite Axel –, j'étais sans mot devant la chaleur et la sensibilité qui se dégageaient de sa personne. N'était-elle dure qu'avec lui ou avait-il exagéré ? Peut-être aussi avait-elle laissé tomber son armure lorsqu'elle avait appris le décès de son fils unique...

Nous sommes tous montés à l'appartement. Les choses étaient telles que je les avais laissées lorsque, quelques jours plus tôt, nous étions parties d'urgence à l'hôpital avec Axel. Je n'osais pas regarder en direction du lit, là où j'avais trouvé l'homme que j'aime inanimé. Il me tardait d'en finir et de quitter les lieux pour ne plus jamais revenir. Comme Axel n'avait que très peu d'effets personnels, tout s'est passé très vite. Ses parents ont emporté la plus grande partie de ses vêtements ainsi que ses cartes d'identité. Pour ma part, je n'ai pris que son kangourou gris – celui que j'aimais bien porter à l'occasion –, ainsi que son appareil photo. Je n'ai pas besoin de plus pour me souvenir de lui.

* *
*

De retour au refuge, allongée sur mon lit, je fais défiler toutes les photos que mon chum et moi avons prises depuis que nous nous sommes rencontrés. Il y a surtout des clichés artistiques et des « fragments de paysages urbains », comme Axel se plaisait à les appeler, mais aussi plusieurs photos de moi et quelques-unes de lui, que j'ai prises moi-même. Je pleure en les regardant : ses yeux bleus, son sourire, son corps à la fois mince et musclé... je ne peux croire que jamais plus je ne les reverrai. Mais, tout à coup, un sourire furtif apparaît parmi mes larmes : j'ai une idée, une idée qui me permettra de garder vivante pour toujours la mémoire d'Axel. Ses photos, je les ferai imprimer et je trouverai le moyen de les exposer quelque part. Pour que tout le monde les voie et sache qu'Axel Cloutier-Bergeron était un photographe de talent. Pour que personne ne l'oublie. C'est ce projet qui me donne le courage de faire mon sac et de descendre au rez-de-chaussée, où m'attend Justine. Dans trente minutes, nous avons rendez-vous avec mes parents dans un café. Selon elle, cela nous permettra de briser la glace en terrain neutre et d'éviter les débordements émotifs.

– Je serai là pour toi, me répète-t-elle lorsque je me pointe dans l'embrasure de la porte de son bureau. Pour t'aider à dire à ta mère ce que tu ne veux plus vivre et comment tu souhaites voir évoluer votre relation dans l'avenir. Je pense que c'est important de mettre ça au clair dès maintenant. D'accord ?

– Je vais essayer, mais je sais pas si je serai capable. Ç'a jamais été évident pour moi de parler à ma mère.

– Je comprends. Mais, maintenant, plus rien n'est comme avant. Tu as changé et ta mère aussi, sans aucun doute...

La sonnerie du téléphone met fin à notre conversation. Tandis que Justine répond, je me rends au salon. Comme tous les pensionnaires doivent quitter les lieux avant dix heures, l'endroit est désert. Je me sens privilégiée d'avoir aujourd'hui une permission spéciale. Je décide d'en profiter pour faire un appel.

Alors que résonne la deuxième sonnerie, je réalise que nous sommes mardi matin et qu'Élise est à l'école. Je ne vis décidément plus sur la même planète que mes amis...

– Salut, vous avez bien joint Élise ! Laissez-moi un message !

Entendre la voix de ma meilleure amie, celle dont, jusqu'à ce jour, je n'avais jamais été séparée plus de trois semaines d'affilée, me secoue tellement que c'est avec plein de larmes dans la voix que je m'adresse à sa boîte vocale.

– Élise... euh... c'est moi, Raph. Je... je rentre à la maison aujourd'hui. Je te rappelle plus tard ! Bye !

## ***11 h 26***

Installées à une table du Pourquoi pas espresso bar, un café de la rue Amherst, Justine et moi attendons mes parents. Je suis si anxieuse que je m'arrache compulsivement la peau autour des ongles, une (mauvaise) habitude que j'ai prise il y a peu de temps... après qu'Axel est mort, en fait. Puis, par la vitrine près de laquelle nous sommes assises, je les vois arriver, marchant côte à côte comme s'ils formaient toujours un couple. Lorsqu'elle m'aperçoit, ma mère ouvre grand les yeux et, au mouvement de ses lèvres, je comprends qu'elle prononce mon prénom. Pour sa part, mon père s'élance vers la porte, qu'il ouvre à toute volée. Je me lève et vais vers lui ; nous nous jetons dans les bras l'un de l'autre. Il me serre si fort contre son torse que cela me fait mal ; nous rions et pleurons en même temps. Lorsque nous relâchons notre étreinte, je vois ma mère qui, restée en retrait, attend patiemment le moment de nos retrouvailles. Je m'avance d'un pas vers elle, ne sachant pas trop comment me comporter. Il faut dire que ma mère n'a jamais particulièrement apprécié les démonstrations d'affection. Aujourd'hui, cependant, elle n'hésite pas : elle me prend dans ses bras et, avec chaleur, me caresse les cheveux, embrasse mes joues et mon front, tandis que les larmes qui coulent sur nos joues se confondent. Mon cœur s'agite dans ma poitrine ; je me sens à la fois mal à l'aise et réconfortée par ces gestes auxquels je ne suis pas habituée.

– Tu peux pas savoir à quel point j'ai eu peur de te perdre, me murmure-t-elle à l'oreille.

Une fois les premiers moments d'émotion passés, nous nous assoyons à la table avec Justine, et la serveuse vient prendre notre commande. Je remarque immédiatement que mes parents ont tous deux maigri et qu'ils semblent fatigués comme jamais. Je sais que c'est à cause de moi, de toutes ces nuits blanches que je leur ai fait vivre. Comme s'il devinait mon désarroi, mon père rapproche un peu sa chaise et prend ma main dans la sienne. Soudainement, je me sens comme une petite fille de quatre ans qui vient de se réveiller en plein milieu de la nuit, le cœur battant la chamade. Car, en toute honnêteté, même si j'ai vécu de bons moments durant ma fugue et que celle-ci m'a permis de connaître l'amour, mon périple s'apparente davantage à un cauchemar qu'à un beau et paisible rêve. D'ailleurs, je ne me sens pas encore prête à en parler vraiment, du moins à en livrer les détails. Je veux être honnête avec mes parents, afin que nous repartions sur de bonnes bases, mais je sais déjà qu'il y a certaines choses que je ne leur révélerai jamais.

Bien sûr, je devrais briser la glace, prendre la parole pour au moins expliquer à mes parents pourquoi je suis partie et comment j'ai vécu pendant les cinq semaines qu'a duré ma fugue, mais on dirait que j'ignore par où commencer. La serveuse arrive et pose devant nous les boissons chaudes que nous avons commandées. Après cet instant de diversion, je me remets à tourner en rond dans ma tête. Je regarde Justine, qui m'offre un sourire rassurant.

– Premièrement, je peux peut-être vous raconter comment votre fille et moi nous sommes rencontrées ? propose-t-elle à mes parents.

– Bien sûr, répond aussitôt ma mère.

Avec simplicité, Justine relate à mes parents notre première rencontre, après ma nuit au squat, et mes visites au refuge. Elle leur explique en quoi consiste le travail des intervenants et comment fonctionnent les refuges consacrés aux jeunes fugueurs et itinérants. Elle parle aussi un peu d'Axel, explique qu'il était aux prises avec de sérieux problèmes de toxicomanie. Elle en profite pour préciser que, pour ma part, je n'ai pas ce genre de dépendance. Ma mère pousse un soupir de soulagement.

– Au début, avant que tu appelles ton père pour la première fois, se remémore-t-elle en se tournant vers moi, nous avions vraiment peur que tu aies été recrutée par un gang de rue, que tu sois obligée de te... de te prostituer ou de danser nue...

– Nous nous imaginions le pire, tu comprends ? enchaîne mon père.

– Je comprends, leur assuré-je. Et je m'excuse de vous avoir inquiétés. Quand je suis partie, je pensais à rien d'autre qu'à retrouver Axel. Je pouvais juste pas supporter l'idée d'être enfermée à la maison pendant un mois ! Mais, rapidement, j'ai compris que ses problèmes de drogue étaient sérieux et qu'à cause de ça, nous trouver un appartement serait peut-être pas si facile. J'ai compris aussi que la vie dans la rue, c'est loin d'être une vie de rêve...

Le silence s'installe autour de la table, comme si tous méditaient le sens de mes paroles. Justine me lance un regard encourageant. Je m'apprête à poursuivre, mais mon père ouvre la bouche.

– Au fait, demande-t-il, tu m'as affirmé qu'Axel et toi viviez chez des amis. Est-ce que c'était vrai ?

– Euh... oui et non, avoué-je, honteuse de lui avoir menti.

– Me dis pas que vous dormiez dans la rue, Raphaëlle ! s'exclame soudainement ma mère. Ça, je pourrais pas le supporter !

Et voilà ! Déjà, le caractère impétueux et le besoin maniaque de tout contrôler de ma mère refont surface ! Je soupire en baissant les yeux.

– Oh... euh... excuse-moi, reprend-elle un ton plus bas, je... c'est juste que c'est dur pour moi d'entendre tout ça...

– C'est bien normal, madame Dumas, intervient Justine. Aucun parent ne trouve facile d'entendre son enfant raconter ce qu'il a vécu pendant qu'il était dans la rue. Ne vous en faites pas avec ça. Tu permets que je dise un mot à propos de Steve, Raphaëlle ?

J'acquiesce d'un signe de tête. Je n'ai personnellement aucune envie de parler de Steve. Juste de penser à lui, à cette seconde où il a tenu un couteau sous ma gorge, fait monter en moi une angoisse diffuse. J'espère qu'un jour j'arriverai à l'oublier.

Justine explique à mes parents que Steve est le chef d'un petit gang de rue bien connu des intervenants. Qu'Axel et moi avons vécu chez lui quelque temps, mais que, entre autres grâce à mon jugement, j'ai pu éviter de tomber dans ses filets.

– Je pense que vous pouvez faire confiance à votre fille, affirme Justine pour conclure. Elle a une tête sur les épaules et un courage exceptionnel pour une adolescente de son âge. La façon dont elle vit son deuil nous le prouve bien...

Juste d'entendre le mot « deuil » suffit à réveiller ma peine. Je revois Axel allongé sur le lit, inerte, sa peau trop pâle, son visage malgré tout presque serein et, pratiquement sans m'en rendre compte, je me mets à pleurer. Ma mère se lève et vient s'accroupir près de moi. Comme tout à l'heure, elle prend mon visage entre ses mains, embrasse mon front puis me serre doucement contre elle. A-t-elle réellement changé ou ne fait-elle cela que pour prouver à Justine qu'elle est une mère aimante ? Seul l'avenir me le dira... Pour l'instant, sentir ses bras autour de moi et la main de mon père qui presse toujours la mienne me fait du bien. Je réalise que, durant tous ces jours où j'ai vécu loin de la maison, ils m'ont manqué et que, malgré le fait que je serai bientôt une adulte, j'ai toujours autant besoin d'eux.

Justine, qui s'était éloignée pour, je suppose, nous laisser un peu d'intimité, revient s'asseoir avec nous en annonçant à mes parents qu'il y a des choses dont je veux discuter avec eux et que je désire leur faire part de mes attentes quant à l'avenir. Même si je me suis préparée à ce moment, l'anxiété m'envahit néanmoins. Par où commencer ? Je respire profondément en me répétant que tout ce que j'ai vécu ici ces dernières semaines, incluant la mort d'Axel, a fait de moi une fille plus forte, plus sûre d'elle-même. Ainsi, malgré ma voix qui tremble un peu et de multiples hésitations, je réussis à confier à ma mère ce que je trouve difficile dans notre relation, ce qui m'étouffe, ce que, désormais, je n'ai plus envie de vivre. Cela ne doit pas être évident à entendre pour elle, mais elle m'écoute jusqu'au bout sans m'interrompre.

– J'entends ce que tu dis, commence-t-elle une fois que j'ai fini de parler. J'aime pas admettre ça, mais oui, c'est vrai, je suis contrôlante. Je suis extrêmement exigeante envers moi-même et envers les autres aussi. Quand ton père et toi êtes partis, je me suis retrouvée seule avec mes bibittes et j'ai réalisé que je devais pas être facile à vivre. Alors, j'ai fait une chose que j'aurais jamais pensé faire : j'ai pris rendez-vous avec un psychologue.

J'ouvre des yeux étonnés.

– Et puis, un après-midi, juste avant que je quitte la maison pour me rendre à ma deuxième séance avec lui, le téléphone a sonné. C'était une travailleuse sociale qui m'annonçait que ma fille biologique, Ariane Fontaine, désirait me rencontrer. Sur le coup, je suis restée bouche bée ; j'ai pas su quoi répondre. J'ai pris les coordonnées de la travailleuse sociale en lui promettant que je la rappellerais. Puis, j'ai conduit comme une automate jusque chez le psy. À ce moment, nous avions pas encore eu de nouvelles de toi, Raph. C'est stupide, mais, sur le coup, j'ai pensé que je devais perdre une fille pour en retrouver une autre. Et c'est là que j'ai réalisé que je pouvais pas toujours tout contrôler.

Si on m'avait dit, il y a quelques mois à peine, que ma mère proférerait un jour de telles paroles, je ne l'aurais pas cru. Mais, aujourd'hui, plus rien n'est pareil et, bien que cela me rassure de constater qu'elle ne semble plus être la mère rigide qu'elle était, je me sens tout de même déstabilisée. En jetant un coup d'œil à mon père, je constate que lui aussi est ébranlé par ce qu'elle vient de raconter. Afin de me donner une contenance, je me lève et vais aux toilettes.

Lorsque je reviens, nous convenons ensemble que je passerai les prochains jours chez mon père, puis nous sortons du café. Sur le trottoir, Justine me serre longuement dans ses bras.

– Merci pour tout, lui murmuré-je en m'efforçant de ne pas me remettre à pleurer. Si t'avais pas été là, je sais pas comment j'aurais fait pour traverser tout ça.

– Tu dois croire en ta force intérieure, Raphaëlle. Toujours. Allez, je t'appelle dans quelques jours, d'accord ? Je suis sûre que tout va bien se passer avec tes parents.

Je monte dans la voiture de mon père et la regarde s'éloigner jusqu'à ce qu'elle disparaisse au coin de la rue. Je me souviens que, lorsque je suis arrivée ici, il y a un peu plus d'un mois, j'avais l'impression de jouer un rôle, celui d'un personnage de rêve. Aujourd'hui, alors que je m'apprête à rentrer chez moi, à retrouver cette banlieue que je connais depuis toujours, j'ai la même impression.

# Épilogue

***16 h 38***

– Élise ? C'est moi, c'est Raphaëlle.

– Raph ? Je peux pas croire que j'entends enfin ta voix ! Ça va ? Je veux dire, t'es où ? ajoute-t-elle sans me laisser le temps de répondre, la voix tremblante d'émotion. *Oh my God !* Je capote !

– C'est vrai ? que je lui demande. T'es plus fâchée contre moi ?

– C'est bien toi, ça. T'es toujours aussi idiote. Ça me rassure...

Nous rions. Comme avant, comme si rien n'avait changé. Je lui explique que je suis de retour, que je vis pour le moment avec mon père.

– Avec Tom et Chlo, je suis allée je sais pas combien de fois en ville pour essayer de te trouver, tu sais, me confie-t-elle. Tes parents aussi sont allés. Une chance que tu as fini par téléphoner à ton père parce que je te jure, ici, on était tous en train de devenir fous...

Elle me raconte que mon père lui a transmis toutes les nouvelles que je lui donnais lors de mes appels. Pour sa part, elle s'occupait de les répéter à Chloé, Isabelle, Pedro, Thomas et tous ceux qui me connaissent et qui se faisaient du souci pour moi. Je dois admettre que cela fait mon affaire qu'elle soit déjà au courant de la mort d'Axel, car, pour moi, c'est encore extrêmement pénible d'en parler. Par ailleurs, elle m'apprend qu'elle vient de décrocher un emploi de fin de semaine – un poste de surveillante à la piscine municipale –, qu'elle sort toujours avec Max et qu'à l'école, en ce moment, elle a des résultats plutôt moyens, ce qui déçoit quelque peu ses parents.

– J'étais si inquiète pour toi que j'arrivais tout simplement pas à me concentrer, dit-elle en guise d'explication. Et puis, je me trouvais tellement stupide d'avoir jugé ton chum... Si j'avais été plus ouverte, t'aurais peut-être jamais fugué.

Son sentiment de culpabilité me fait penser au mien, à ce que j'éprouve lorsque je pense à la mort d'Axel.

– T'as pas besoin de te sentir coupable, Éli. Rien de tout ce qui est arrivé est de ta faute. J'ai pris mes propres décisions... et je les assume.

Je me surprends moi-même en prononçant ces mots. Assumer, oui... C'est loin d'être facile, mais j'ai l'impression que je suis sur la bonne voie. Nous raccrochons en nous promettant de nous voir demain.

* *
*

Je m'étends sur mon lit, apaisée.

Du regard, je fais le tour de ma nouvelle chambre. La pièce est plutôt petite, mais néanmoins confortable. Mon père a peinturé deux murs d'un joli bleu royal – une de mes couleurs préférées – et y a installé quelques tablettes, un miroir et des crochets. En face du lit trône la commode blanche que j'avais jadis dans ma chambre de petite fille. L'ameublement est complété par une bibliothèque et un fauteuil près duquel est posée une lampe de lecture sur pied. Je suis émue de voir qu'en mon absence, malgré sa peine, son inquiétude et certainement au moins un peu de colère, mon père a fait tout ça pour moi.

Je ferme les yeux et inspire profondément, les mains posées sur mon ventre. Mon père est parti faire des courses et le silence règne dans l'appartement. En dépit de cette peine insensée qui me brûle le cœur, et qui peut-être jamais ne me quittera, je me sens bien. Je sais qu'il me faudra du temps pour retrouver mes repères, mais j'ai confiance. Tandis que la pénombre envahit tranquillement la pièce, je me laisse glisser vers le sommeil.

## *Mercredi 16 novembre, 17 h 19*

Avec l'aide d'Élise et de Thomas, je suis arrivée à rattraper la matière scolaire donnée pendant les mois de septembre et d'octobre. Mes notes sont plutôt faibles, ce qui est loin de plaire à ma mère, qui fait cependant des efforts pour ne pas me mettre trop de pression sur ce plan. À l'école, visiblement, tout le monde connaissait déjà mon histoire. Les premiers jours, on me regardait avec un mélange d'admiration, de méfiance, de condescendance et de compassion, mais, maintenant, tout semble être rentré dans l'ordre. Évidemment, je ne suis plus – du moins aux yeux des autres – la Raphaëlle sage et réservée que j'étais avant. Je suis maintenant celle qui a fugué et dont le chum est mort d'une surdose, celle qui a dormi dans un squat avec des rats et qui a essayé toutes sortes de drogues. Certains racontent que j'ai dû aller en cure de désintoxication avant de revenir à l'école, d'autres que je me suis prostituée pour subvenir à mes besoins et d'autres encore que j'ai dansé nue pour payer ma drogue. Au début, toutes ces rumeurs à mon sujet me dérangeaient, mais j'ai fini par comprendre que je n'y pouvais rien et qu'au fond ce qui comptait réellement était le fait que, pour mes amis, j'étais la même qu'avant. Pour m'aider à vivre mon deuil et mon « retour à la réalité », comme j'aime le nommer, je vois, chaque lundi et chaque jeudi après l'école, la psychologue que Justine m'a recommandée. Je ne trouve pas ça évident, d'exposer ma vie à une étrangère, mais je sais que ça me donne des outils pour affronter la suite. À la fin de chaque rencontre, mes parents me rejoignent dans le vaste bureau pour notre « quart d'heure familial », où chacun peut exprimer ce qu'il ressent par rapport à notre nouvelle vie et partager avec les autres ses sentiments et ses attentes. Grâce à ces moments, je réalise – non sans une certaine culpabilité – à quel point mes parents ont souffert de mon absence et tout ce qu'ils sont prêts à faire, aujourd'hui, pour que les choses se passent bien entre nous. Ma mère travaille particulièrement fort pour « lâcher prise », comme elle dit, et combattre sa propension à vouloir tout contrôler.

– Le premier soir où Philippe a dormi dans son nouvel appartement et que, chacun de notre côté, nous avons attendu, en vain, que Raphaëlle rentre à la maison, j'ai compris que cette vie parfaite que je m'acharnais à construire depuis tant d'années était une illusion. Qu'en un claquement de doigts, la forteresse dans laquelle je me croyais heureuse venait de s'écrouler, a-t-elle raconté un jour alors que, les yeux pleins d'eau, mon père et moi nous efforcions de retenir nos larmes.

– J'avais honte d'avoir rien vu venir, a confié pour sa part mon père. Raphaëlle m'avait dit qu'elle avait un chum, mais je savais pas qu'il avait des problèmes de drogue. J'aurais dû poser plus de questions.

*  *
*

Mes parents et moi avons non seulement nos propres raisons de nous sentir coupables, mais aussi nos propres défis à relever. Ainsi, même si je ne me pardonne toujours pas d'avoir laissé Axel seul après notre chicane et même si je sais que jamais je n'arriverai à oublier cet instant horrible où Justine et moi l'avons retrouvé mort, j'ai décidé de me tourner vers l'avenir. Entre autres, j'apprends, petit à petit, à m'affirmer, à prendre ma place, à ne plus laisser les autres décider pour moi.

Ainsi, j'ai annoncé à ma mère que je ne désirais pas reprendre mes cours de piano.

– Comme tu veux, m'a affirmé celle-ci à mon grand étonnement et malgré la déception évidente que je pouvais lire dans ses yeux. C'est ta vie, pas la mienne.

Nous venions de finir de souper. Elle s'est levée prestement et a commencé à desservir la table. Sans un mot, je l'ai suivie, un verre dans chaque main. J'avais l'impression qu'elle boudait, mais je n'en étais pas certaine. Une fois la table propre et la vaisselle rangée dans le lave-vaisselle, je suis montée prendre ma douche. Lorsque je suis redescendue, une demi-heure plus tard, ma mère était assise sur le sofa et feuilletait une revue. D'un geste, elle m'a invitée à venir la rejoindre.

– Je comprends que t'aies pas envie de reprendre tes cours de piano, m'a-t-elle dit d'une voix altérée par l'émotion. Avant ta fugue, ça faisait déjà un petit bout de temps, il me semble, que ça te tentait moins. Est-ce que je me trompe ?

J'ai hoché la tête de gauche à droite en m'efforçant de soutenir son regard.

– Mais, si tu pouvais continuer à jouer quand même, ne serait-ce qu'une fois de temps en temps, ça me ferait drôlement plaisir, a-t-elle poursuivi.

– OK, ai-je répondu, mais juste si tu joues avec moi.

À mon grand étonnement, elle a rougi.

– Tu sais, Raphaëlle, ça fait maintenant plus de trente ans que j'ai pas touché un piano.

Plus de trente ans ? Tout à coup, il m'a semblé que tout devenait clair.

– Est-ce que c'est à cause de... de...

– Oui, m'a-t-elle interrompue, mettant du coup fin à mon embarras. J'ai arrêté de jouer lorsque j'ai appris, à dix-sept ans, que j'étais enceinte de ta sœur.

Ma sœur. Cette sœur que je ne connais pas encore et dont je n'ose même pas prononcer le prénom. Assises côte à côte sur le divan, ma mère et moi sommes restées silencieuses un moment, le temps que les pièces du casse-tête se mettent en place. Puis, je me suis levée et lui ai tendu la main. Ensemble, nous avons marché jusqu'au piano. Elle s'est installée sur le banc, tout près de moi. Tranquillement, j'ai joué une pièce que je savais qu'elle aimait tout particulièrement. Je tentais de ne pas me préoccuper des fausses notes, mais ce n'était pas si évident. Puis, lorsque j'ai entamé une seconde pièce, ma mère a posé ses doigts fins sur les touches et m'a accompagnée avec une délicatesse que je ne lui connaissais pas. Lorsque nous avons eu fini de jouer, je me suis tournée vers elle. Son visage ruisselait de larmes.

*  *
*

En ce qui concerne mes cours de ballet, c'est une autre histoire. Une histoire compliquée, où les regrets se mêlent à un intense sentiment de culpabilité. Pour tout dire, j'aimerais reprendre la danse, mais je me sens si affreusement coupable envers madame Lacombe que je n'ose même pas y penser. Comment pourrait-elle vouloir encore de moi après que j'ai laissé tomber toute la troupe à une semaine du spectacle ? À l'école, d'ailleurs, j'évite du mieux que je le peux les filles qui en font partie.

Même si je suis heureuse d'avoir retrouvé mes amis, je dois dire que Justine me manque. Chaque semaine, nous nous parlons au téléphone. Et puis, un jour, je lui confie mon projet d'exposer bientôt les photos d'Axel. Aussitôt, elle me fait la proposition suivante :

– Si tu venais au refuge, à l'occasion, les vendredis ou samedis soir, tu pourrais prendre des photos des autres jeunes et les exposer avec celles d'Axel... Bien sûr, il faudrait leur demander la permission, mais je crois que ce sera pas un problème. Tu sais, j'ai vu certaines de tes photos et je peux te dire que toi aussi, tu as du talent...

Comme elle me prend au dépourvu, je ne sais quoi répondre. C'est vrai que j'adore faire de la photo et que des clichés supplémentaires ne pourraient qu'enrichir mon projet. De plus, retourner au refuge me permettrait de voir Justine de temps en temps...

– Raph ? me relance cette dernière. T'es toujours là ?

– Oui ! Euh... écoute, ça me semble être une bonne idée, mais je préfère y réfléchir avant de te donner une réponse définitive, d'accord ?

– Bien sûr !

***Jeudi 17 novembre, 16 h 23***

Dès mon retour de l'école, je m'empresse de téléphoner à Justine pour lui confirmer que j'accepte sa proposition. Elle me donne rendez-vous au refuge le lendemain, à dix-sept heures. Comme je crains encore un peu les représailles de Steve, je m'organise avec mon père pour qu'il m'y conduise et qu'il vienne me chercher à vingt et une heures.

* *
*

C'est ainsi que ce vendredi, puis tous les suivants, je vais passer la soirée au refuge. J'y retrouve des jeunes, comme Sam, que j'ai côtoyés lors de ma fugue, et j'en rencontre aussi de nouveaux. D'emblée, si je sens une ouverture de leur part, je me présente et leur explique la raison de ma visite. De toute façon, même si je ne suis plus, maintenant, totalement étrangère à ce qu'ils vivent, mon apparence physique et les vêtements que je porte dévoilent tout de suite que je ne suis pas une des leurs.

– Je travaille sur un projet de photo, dis-je simplement. C'est pour rendre hommage à Axel, mon amoureux qui est mort d'une surdose il y a quelque temps. L'idée est de montrer, dans leur quotidien, les jeunes comme vous, qui vivent dans la rue...

Je ne trouve pas évident de parler ainsi d'Axel, mais Justine m'a expliqué que cela les toucherait et les inciterait probablement à collaborer. Je dois avouer qu'elle avait raison, car, à peine trois vendredis après avoir entamé mes démarches, j'ai déjà pris plein de nouvelles photos qui s'insèrent à merveille dans mon projet.

– Alors, Raph, as-tu rencontré ta sœur ? me demande Justine un de ces soirs, alors que je m'apprête à rentrer chez moi.

– Euh... non, pas encore. Ma mère m'a proposé à quelques reprises de l'inviter à souper, mais je sais pas, je pense que je me sens pas prête...

– C'est vrai que tu as pas mal de choses à gérer en ce moment, hein ?

Je hoche la tête, n'osant pas ouvrir la bouche de peur d'entendre ma voix trembler. Comment fait-elle, Justine, pour toujours prononcer les mots qu'il faut ?

– Moi, j'ai de plus en plus de contacts avec ma mère, enchaîne-t-elle. Tranquillement, on se découvre des points communs, on apprend à se connaître... Finalement, je crois que je lui ressemble plus que je le pensais ! conclut-elle en souriant.

***Samedi 10 décembre, 10 h 21***

Exceptionnellement, je suis venue ce matin, avant que les pensionnaires quittent le refuge pour la journée, afin de prendre les derniers clichés qui compléteront mon exposition. Comme mon père ne pouvait m'accompagner, j'ai rassemblé mon courage et j'ai voyagé toute seule en transport en commun.

Ainsi, après ma visite au refuge, je retourne à pied au métro et j'en profite, malgré ma peur de voir Steve surgir à chaque coin de rue, pour observer ces trottoirs – sur lesquels la première neige est tombée hier – où j'ai marché main dans la main avec Axel, la plupart du temps un peu soûle ou gelée, à la fois exaltée et effrayée par l'inconnu. Je regarde ces jeunes aux cheveux colorés, aux vêtements assortis avec extravagance qui, leurs maigres possessions entassées dans leur sac à dos, n'aspirent probablement, au fond, qu'à trouver leur place dans le monde. J'ai souvent entendu les gens les juger, les traitant de paresseux, de drogués, de pouilleux, mais je retourne dans ma banlieue en sachant que ces jeunes-là, malgré leur apparence de durs à cuire, sont souvent aussi fragiles que des poupées de verre. Une fois devant le métro, rue Saint-Denis, je décide de continuer ma route. Je me rends jusqu'à l'immeuble où Axel et moi avons vécu... et où il est mort. Je contemple longuement la fenêtre qui a été « la nôtre » jusqu'à il n'y a pas si longtemps. Je ne veux pas pleurer, pas aujourd'hui. Mais, dans ma tête, même si je ne crois pas en Dieu, je fais une prière ; je prie pour que l'âme d'Axel, où qu'elle soit, repose un jour en paix. Et que, de mon côté, j'arrive à me pardonner.

***Dimanche 18 décembre, 17 h***

On sonne à la porte juste au moment où j'accroche la dernière boule sur une des branches du sapin. Ma mère se lève et, en passant près de moi, m'attrape la main. Ensemble, nous allons ouvrir. Ariane entre et referme doucement la porte derrière elle. Elle sourit, ses yeux se rivent aux miens.

– Bonjour, Raphaëlle, dit-elle en enlevant sa mitaine et en me tendant la main. Ça me fait plaisir de te rencontrer.

– Allô, Ariane, prononcé-je avec nervosité et en me demandant ce qu'il convient de dire en ces circonstances.

Elle ôte sa tuque, son manteau et son écharpe, que ma mère accroche à la patère avant de filer à la cuisine en annonçant qu'elle revient tout de suite. Ne sachant trop comment procéder pour la suite, j'invite Ariane à passer au salon. Visiblement plus à l'aise que moi, cette dernière s'installe sur le canapé tandis que je m'assois dans le fauteuil juste en face. J'en profite pour l'examiner de la tête aux pieds, masquant à peine ma curiosité. Ariane a les cheveux bruns mi-longs et des yeux d'un bleu pétillant, comme ceux de ma mère. Elle est vêtue d'une robe noire à la fois chic et décontractée et d'un legging bordeaux. Elle ne porte aucun bijou à part un bracelet argenté au poignet droit. Elle a un beau style, je trouve. De son côté, elle m'observe aussi. En ce moment, avec mes cheveux mi-bruns mi-blonds, je ne suis pas à mon mieux, il me semble. Je me demande ce qu'elle pense de moi... Je m'apprête à briser le silence lorsque ma mère revient avec un plateau où sont posées trois coupes ainsi qu'une assiette de bouchées.

– Un petit verre de mousseux, les filles ? propose-t-elle en souriant.

La dernière fois que j'ai bu du mousseux, c'était avec Steve dans ce bar glauque où Jade et Candy dansaient nues. Juste de penser à lui, à son air arrogant, à son regard cruel et à la lame qu'il a brandie sous ma gorge, la veille de la mort d'Axel, je me sens mal. Et je ne peux m'empêcher, deux mois plus tard, d'avoir encore peur de lui. Je crains de tomber face à face avec lui au détour d'une rue et qu'il me fasse payer la dette de mon amoureux.

Je prends le verre que me tend ma mère et nous trinquons à nos « retrouvailles ». Pour l'instant, j'ai du mal à croire qu'Ariane est réellement ma sœur, mais quelque chose au fond de son regard bleu me laisse espérer que nous pourrons bien nous entendre. C'est du moins le vœu que je fais en levant mon verre.

### *Samedi 21 janvier, 16 h 14*

La salle d'exposition du centre multifonctionnel est pleine de monde. Ma famille et mes amis sont là, évidemment, mais aussi des élèves de l'école accompagnés de leurs parents, des professeurs, la directrice et son adjointe, les employés du refuge où travaille Justine, ainsi que plusieurs jeunes qui fréquentent l'endroit et que j'ai appris à connaître grâce à mon projet de photo. Il y a même les parents d'Axel, que j'ai invités sans trop y croire et qui, à ma grande surprise, sont venus. Son père ne m'apparaît pas plus sympathique que la première fois que je l'ai rencontré, mais je me dis que, s'il est ici ce soir, c'est déjà une preuve de sa volonté d'honorer la mémoire de son fils et de reconnaître son talent. Après tout, il n'est jamais trop tard pour bien faire.

Dans un coin, il y a une table où des rafraîchissements et un petit goûter ont été servis. Près de la table, un piano, sur lequel j'ai passé mon stress juste avant l'arrivée des visiteurs. Sur les murs sont installées, côte à côte, les photos d'Axel et les miennes, celles que j'ai prises il y a quelques mois, alors qu'il était encore vivant, et d'autres, réalisées au cours des dernières semaines. Ces photos représentent, sans fard et sans complaisance, *Le petit monde de la rue,* comme le mentionne le titre de l'exposition, la réalité des jeunes itinérants, une réalité qui n'est pas rose et sur laquelle on préférerait souvent fermer les yeux, mais qui existe néanmoins. J'ai voulu rendre hommage non seulement à l'homme que j'ai aimé, mais également à tous ces jeunes qui, chaque jour, luttent pour leur survie. Ces jeunes qui, comme les autres adolescents et jeunes adultes de leur âge, ont des idées, des opinions, des projets et, bien sûr, des rêves.

Je déambule dans la vaste pièce, m'arrêtant ici et là pour discuter avec les gens présents, accueillant avec humilité les compliments, répondant aux questions, échangeant un regard avec ceux qui préfèrent visiter l'exposition en silence. Je suis à la fois ravie et intimidée par le nombre de personnes qui se sont déplacées pour voir nos photos, à Axel et à moi. Je souris, m'efforçant, comme tous les jours, d'être courageuse et de voir les choses du bon côté, mais la vérité est qu'il me manque bien plus que je ne le laisse paraître.

Alors que je m'apprête à retourner voir mes amis, réunis dans un coin de la salle, une visiteuse inattendue fait son apparition. Madame Lacombe, mon ancienne prof de danse, vient vers moi, un bouquet de marguerites à la main.

– Madame Lacombe, je... je..., que je marmonne, prise au dépourvu.

– Raphaëlle, tu n'as pas d'excuses à me présenter, m'interrompt-elle gentiment en me tendant le bouquet. Tu cherchais ta voie, c'est bien normal à ton âge. Ta fugue n'a pas été une erreur, mais une expérience, une grande leçon de vie. Et la façon dont tu t'en es sortie montre à quel point tu es forte.

Je la regarde, émue, le bouquet à la main, ne sachant pas trop quoi dire.

– Je vais aller voir tes photos, maintenant, m'annonce-t-elle. Au fait, je te garde une place dans la troupe ? me demande-t-elle avec un clin d'œil. La session d'hiver commence mardi prochain.

Si je ne me retenais pas, je crois que je sauterais de joie.

– Je serai là, déclaré-je. Je... j'ignore comment vous remercier de bien vouloir me reprendre dans la troupe. Je sais que plein de filles voudraient en faire partie et...

– Mais moi, c'est toi que je veux, réplique-t-elle, coupant court à mes remords.

Elle s'approche et me serre dans ses bras avant de se mêler à la foule des visiteurs. Isabelle, Pedro et Thomas me rejoignent.

– Ton chum, commence Thomas, il était vraiment bon en photo.

– C'est sûr, renchérit Isabelle. Aussi, je sais qu'on te l'a déjà dit, mais...

– ... on s'excuse de l'avoir jugé trop vite, continue Pedro. On a vraiment été des amis poches...

– C'est pas grave, les rassuré-je. Je suppose que c'est parce que vous étiez inquiets pour moi. À votre place, j'aurais probablement agi pareil. Des fois, des choses nous font peur et on se protège en jugeant, en se refermant sur nous-mêmes.

– Raph est devenue un modèle de sagesse. C'est bien la preuve que côtoyer des pouilleux n'a pas que des mauvais côtés, blague Thomas en me prenant par le bras.

Je lui envoie un petit coup de poing dans les côtes et je souris tout en m'appuyant légèrement contre lui. Depuis mon retour, nous avons passé beaucoup de temps ensemble, lui et moi. Les premières semaines, alors que, malgré ma joie de retrouver mes amis, je restais le plus souvent silencieuse, comme prostrée dans mes souvenirs, il est venu me voir tous les jours. Et, comme aujourd'hui, il me prenait par le bras et m'emmenait faire une longue balade. Ou alors, les yeux fermés, je l'écoutais jouer du piano en me disant que non seulement il réussirait haut la main l'audition pour Vincent-d'Indy, mais qu'un jour il serait un grand pianiste.

– Quand tu as rencontré Axel, m'avait-il avoué un après-midi, au hasard d'une de ces promenades, je suis devenu comme fou de jalousie. J'étais amoureux de toi, Raphaëlle, mais, au lieu de t'en parler, j'étais bête avec toi. C'est con, hein ?

Évidemment, je me doutais déjà que Thomas était amoureux de moi, mais de l'entendre me le confirmer m'avait mise mal à l'aise. Et je n'avais surtout pas envie de lui faire de peine en lui disant que son amour n'était pas réciproque.

– Et... euh... et maintenant ? que j'avais demandé en souhaitant qu'il m'apprendrait qu'il était passé à autre chose.

Il avait gardé le silence un instant. Moi, j'avais retenu mon souffle.

– Je veux juste pas te perdre, Raph, avait-il déclaré finalement. Quand tu as fugué, j'ai pensé que j'allais disjoncter. Avec les filles, on t'a cherchée dans tous les coins du Centre-Sud. Quand je voyais un piano public, je m'y installais et je jouais en boucle les pièces qu'on avait répétées ensemble. J'espérais que, comme par magie, ça allait te faire apparaître.

Il avait souri, moi aussi.

– Je m'excuse, Tom, d'être partie comme ça, sans vous donner de nouvelles. Tout ce que je voulais, avais-je ajouté au risque de le blesser, c'était être avec Axel. Et ce n'était juste pas compatible avec ma vie ici.

– C'est cool, Raph. Mais nous fais plus jamais peur comme ça, OK ?

J'avais promis de ne plus jamais partir sans donner de nouvelles. Je sais qu'une bonne partie des jeunes qui fuguent récidivent, mais ce ne sera pas mon cas. Comme le dit si bien Justine, ce monde-là n'est pas fait pour moi.

– Regarde Chlo, lance Thomas, me ramenant, du coup, à la réalité. Elle est encore sur le mode *cruise* !

Chloé, toujours aussi séductrice et volage, s'entretient effectivement avec un beau grand brun que je ne me rappelle pas avoir déjà vu avant.

– Tu le connais ? que je demande alors que nous passons près d'elle en lui décochant des clins d'œil bien peu subtils.

– C'est un nouveau à l'école, je pense.

– Chlo se fera certainement un plaisir de lui servir de guide...

– Au fait, reprend-il en se tournant vers moi, l'air soudainement sérieux, t'as parlé à tes parents pour le cégep ?

– J'en ai discuté avec mon père, hier soir, mais j'avoue que j'ai pas encore trouvé le courage d'affronter ma mère. J'ai peur qu'elle soit déçue.

– Ta mère a changé, Raph. Déjà, elle accepte ta décision de plus suivre de cours de piano. Allez, elle est juste là, va la voir.

Sachant que Thomas a raison, je prends mon courage à deux mains et me dirige vers ma mère, qui est en train de jaser avec Ariane.

– Maman, commencé-je en m'avançant vers elle. J'ai quelque chose à t'annoncer.

Ariane se met à s'éloigner pour nous laisser seules, mais je la retiens.

– Tu peux rester. J'ai pas de secrets pour... ma sœur.

Elle sourit, me lance un regard affectueux.

– J'ai pris ma décision, pour le cégep..., que je déclare d'une voix mal assurée.

– Tu sais, rien ne presse, se dépêche de répliquer ma mère comme si elle ne voulait pas vraiment entendre ce que j'ai à lui dire. Tu as encore un bon mois pour faire tes demandes.

– Maman, l'arrêté-je avant que le courage vienne à me manquer, j'ai bien réfléchi. Je vais m'inscrire en photo au cégep du Vieux.

Elle accuse le coup en silence. Pour ma part, je n'ose plus la regarder. Elle a beau avoir changé, on ne renonce pas si facilement à ses rêves. Et là, je viens de briser celui qu'elle caresse pour moi depuis des années : me voir étudier en piano classique, devenir une grande musicienne connue et estimée partout à travers le monde. Mais ce rêve, c'était le sien et, désormais, je ne peux tout simplement plus le porter sur mes épaules.

– Bien dis donc, c'est une grande nouvelle, ça, enchaîne-t-elle finalement. Si c'est vraiment ce que tu veux, je serai là pour te soutenir.

– Merci, maman.

Elle fait un pas vers moi ; je fais un pas vers elle. Sous les yeux bienveillants d'Ariane et de mon père qui s'approche, nous nous enlaçons.

– Vous savez quoi ? que je lance joyeusement à la ronde tout en me détachant de ma mère. J'ai le goût d'aller jouer du piano.

Puis, sans attendre l'approbation de qui que ce soit, je m'approche de l'instrument. Lorsque les premières notes de *Mariage d'amour* retentissent dans la salle, tout le monde se tait. Je me souviens du plaisir tout simple, mais combien intense, que j'avais eu à jouer pour les gens au parc de l'Espoir, il y a trois mois. Et c'est ainsi que, pour tous ceux qui se sont déplacés ce soir, pour ma mère, pour Axel, que j'ai aimé et perdu, mais surtout pour moi, pour celle que j'ai été et pour celle que je suis en train de devenir, je joue, faisant fi des fausses notes et des maladresses, comme jamais encore je n'ai joué.

# Ressources au Québec

**Réseau Enfants-Retour**

Le programme AIMER vise la prévention des fugues
www.reseauenfantsretour.ong
514 843-4333
1 888 692-4673

**GRIP Montréal**
**(Groupe de recherche et d'intervention psychosociale)**

www.gripmontreal.org
514 726-4106

**Jeunes en fugue**

www.jeunesenfugue.ca

**En Marge 12-17**

www.enmarge1217.ca
514 849-7117

**Dans la rue**
**(Centre de jour et Le Bunker, abri d'urgence)**

www.danslarue.org
514 526-5222

**Refuge des jeunes de Montréal**

www.refugedesjeunes.org
514 849-4221

**Jeunesse, J'écoute**

www.jeunessejecoute.ca
1 800 668-6868

**Tel-jeunes**

www.teljeunes.com
1 800 263-2266
Par texto : 514 600-1002

**Tel-Aide**

www.telaide.org
514 935-1101

**Drogue : aide et référence**

www.drogue-aidereference.qc.ca
514 527-2626
1 800 265-2626

# Ressources en France

**Fil Santé Jeunes**
www.filsantejeunes.com
08 00 23 52 36

**Centre français de protection de l'enfance – Enfants disparus**
Numéro d'urgence pour signaler une disparition : 116 000
www.116000enfantsdisparus.fr

**Aide aux Parents d'Enfants Victimes**
http ://apev.org/01 46 48 35 94

**Guide *Solidarité à Paris* [PDF]**
http ://api-site.paris.fr/images/87884

**Le Samu Social de Paris**
Numéro d'urgence pour de l'hébergement : 115
www.samusocial.paris/

**ActionFroid**
www.actionfroid.org

**Au Cœur de la Précarité**
www.aucoeurdelaprecarite.com
07 68 10 40 78

**Robin des Rues**

http ://www.robinsdesrues.org
06 52 26 85 69

# Remerciements

Mille mercis à Dave Dumouchel, de l'organisme Dans la rue, pour les précieuses informations, ainsi qu'à Guy Pratte, pour le titre.

*De la même auteure*

*Dans la même collection*

**Prisonnière du silence**

Je suis une adolescente normale. Du moins, je l'étais... Jusqu'à ce jour. Celui où ma mère a rencontré Michel. Au début, leur histoire d'amour avait des airs de conte de fées. Mais rapidement, ma mère a commencé à changer. Elle est devenue secrète, ne s'habillait plus comme avant, se maquillait tout le temps (même pour faire le ménage !) et semblait toujours sur le qui-vive.

Méfiant, jaloux, contrôlant... Le prince charmant de ma mère était loin de ceux que j'avais connus dans les livres de mon enfance. Avec le temps, les insultes sont devenues des menaces, puis des gifles, et, pour finir, des coups. Ma mère ne sortait plus, elle mentait à ses amies, ne répondait plus au téléphone. Malgré ma peine et ma révolte, la loi du silence semblait plus forte que tout. Jusqu'à cette nuit terrible où j'ai enfin trouvé le courage d'appeler à l'aide...

*La **violence domestique** ne blesse pas que ceux qui la subissent, mais aussi ceux qui en sont témoins, le plus souvent des enfants et des adolescents. On pourrait croire qu'en raison de la diversité des réseaux de communication, il est devenu facile de se confier, de dénoncer. Mais c'est sans compter la honte, la culpabilité et la peur qui transforment chaque jour davantage la maison familiale en prison.*

*Dans la même collection*

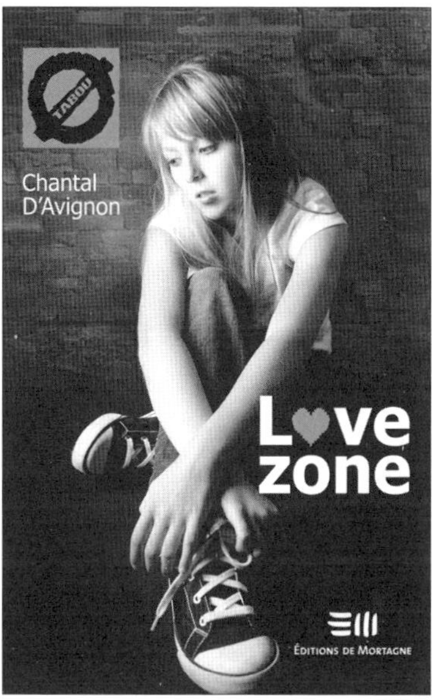

*Dans la même collection*

*Dans la même collection*

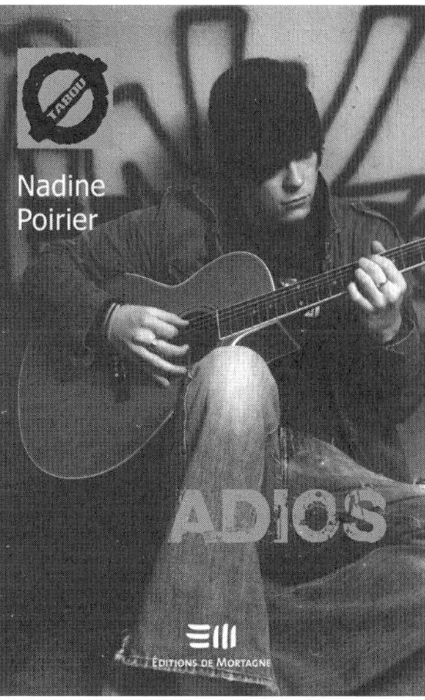

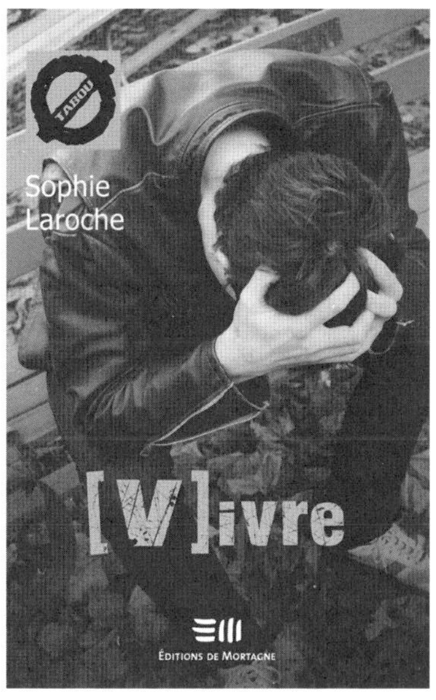

*Dans la même collection*

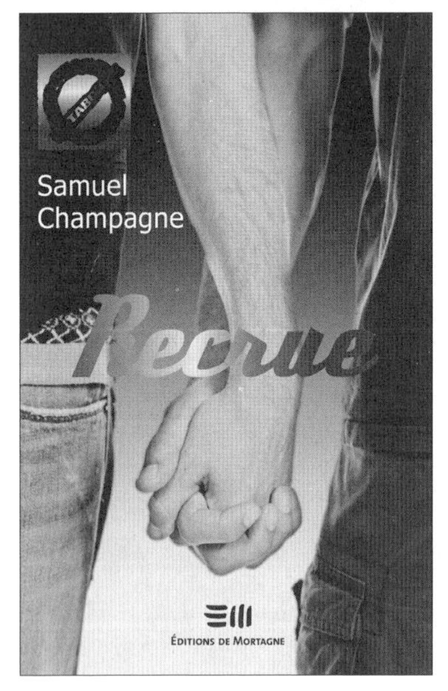


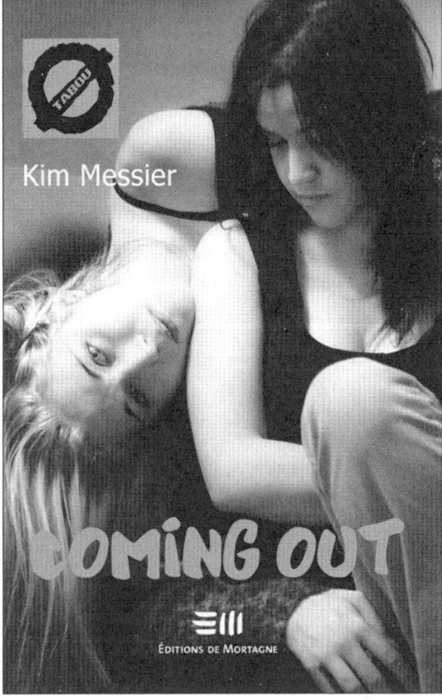

*Dans la même collection*

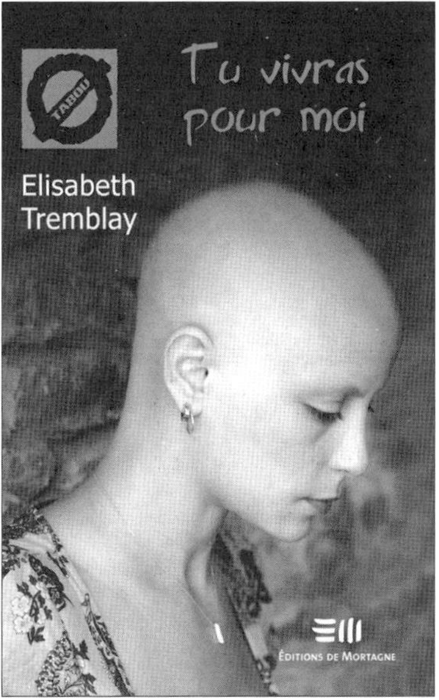

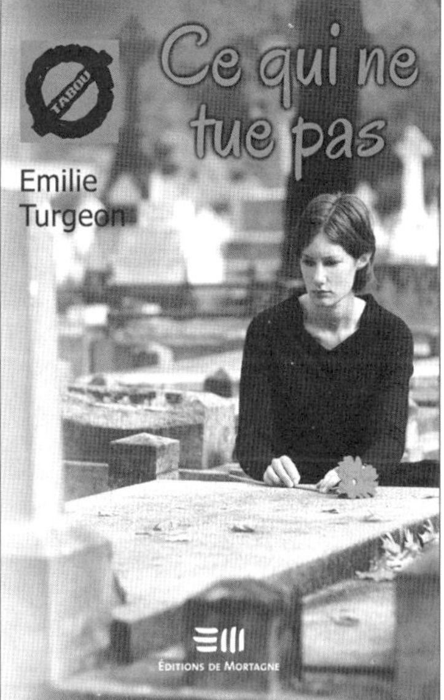

*Dans la même collection*

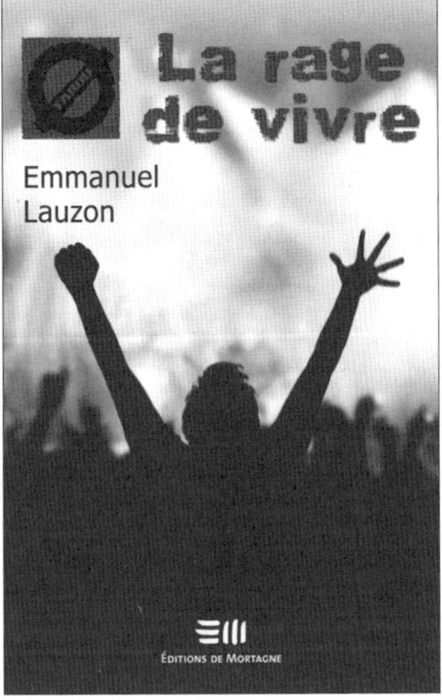

*Dans la même collection*

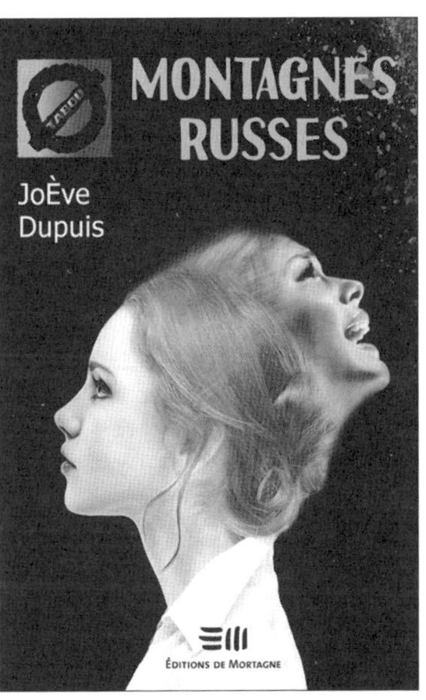


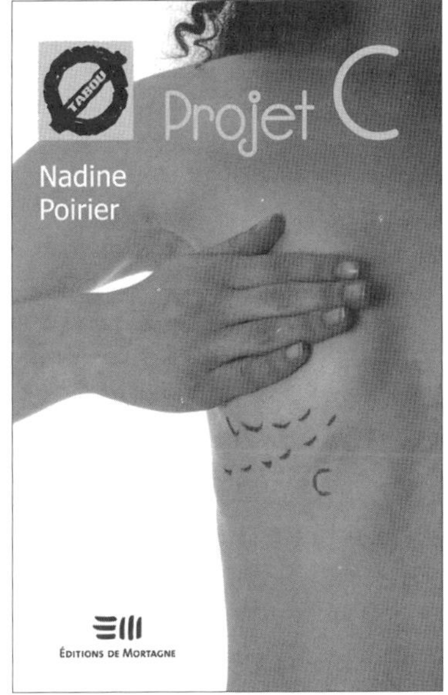


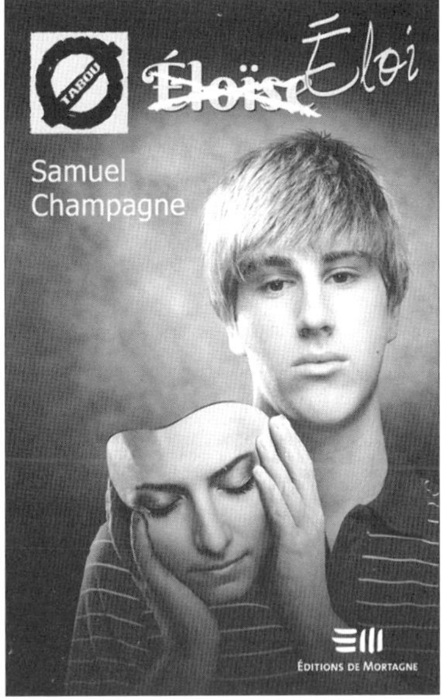

*Dans la même collection*

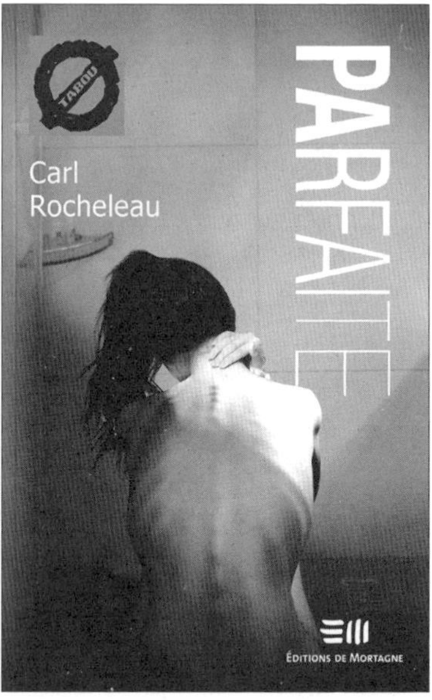

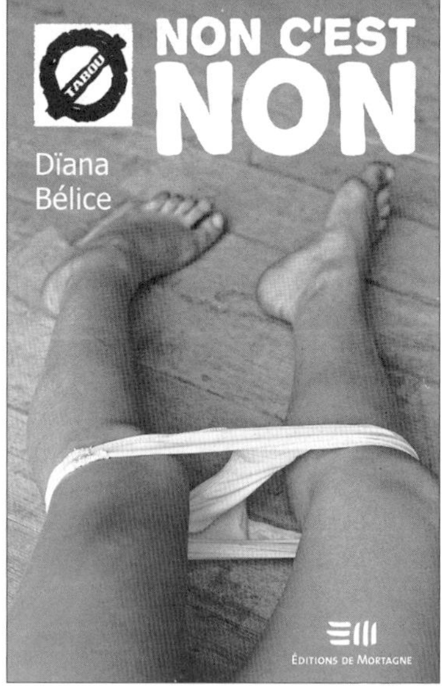

*Dans la même collection*

*Dans la même collection*

**16 ans et papa**

À seize ans, tout ce qui m'intéresse, c'est le prochain party où j'irai, et les filles que je réussirai à séduire. À quoi bon me soucier de demain ? Je ne songe qu'à mon propre bonheur, et ça me va. Après tout, on n'a qu'une vie à vivre, non ?

Ça, c'était avant l'appel d'Andréanne, cette fille que je connais à peine. Avant qu'elle m'annonce qu'un bébé grandissait dans son ventre. Et que j'en étais le père…

Moi, papa ?

Il n'en est pas question ! Je ne veux pas de cet enfant ! Je refuse de m'imaginer dans le rôle du père parfait. Le mien a foutu le camp il y a bien longtemps, alors je ne saurais pas comment m'y prendre. Mais ma mère insiste. Elle tient absolument à ce que je passe un test de paternité. À ce que je m'occupe du bébé, si c'est bel et bien le mien.

Et à ce que je devienne responsable.

*La **paternité à l'adolescence** a toujours existé, mais, de nos jours, ses conséquences sur le parcours scolaire et professionnel du jeune parent peuvent être énormes. Il est difficile pour celui-ci de prendre ses responsabilités, alors qu'il est encore un enfant lui-même. Le soutien de l'entourage se révèle donc primordial afin que le bien-être de tous les membres de la famille soit assuré.*

*Dans la même collection*

**Corps étranger**

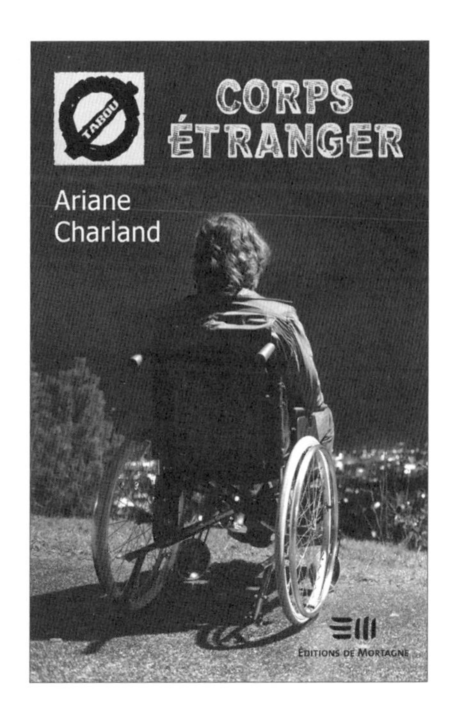


Il a suffi d'une seconde pour que mon existence bascule. Un plongeon, un pied qui a glissé, et je suis devenu tétraplégique. À dix-sept ans. Le Samuel d'avant n'est plus, je dois me faire à l'idée...

Il paraît que la plupart des gens préféreraient mourir plutôt que de se retrouver dans ma situation.

Moi aussi, si on m'avait posé la question avant mon accident, c'est ce que j'aurais répondu.

Et je ne peux pas dire que je n'ai jamais pensé à la mort depuis ...

Maintenant ?

Je ne sais plus. Maintenant il y a mes amis, ma famille, Clara... la vie.

Juste la vie.

La vie ordinaire, faite de hauts et de bas, de chagrins et de rires, comme celle des autres.

*Chaque année, au Québec, de cent à deux cents personnes subissent une blessure à la moelle épinière, ce qui, bien souvent, se traduit par un diagnostic de* ***paralysie irréversible****. Du jour au lendemain, les victimes et leurs proches voient leur quotidien chamboulé. Après une phase plus ou moins longue de réadaptation, le véritable défi est de reprendre le cours de sa vie là où il a été mis en suspens.*

*Dans la même collection*

**Non prémédité**

Depuis la séparation de ses parents, Justine essaie tant bien que mal d'améliorer sa relation avec eux et de s'acclimater à ses deux familles recomposées. En grandissant, elle affronte seule les difficultés du quotidien et combat le sentiment de n'avoir sa place nulle part.

Puis, le jour de ses seize ans, tout bascule. Ne contrôlant plus rien, elle voit rouge et sa colère se déchaîne. Désormais, ses mains sont tachées du sang de sa victime.

L'heure est venue pour elle de faire face à ses actes et d'entendre ces mots qui la glacent de peur : « Justine Lemieux, plaidez-vous coupable ou non coupable aux faits qui vous sont reprochés ? »

*Le* ***geste criminel*** *de l'adolescente la mènera devant la justice, puis en détention dans un centre jeunesse. Entourée de psychologues, de psychiatres et d'intervenants sociaux, elle tentera de comprendre ce qui a pu la pousser à agir de la sorte et fera tout en son pouvoir pour obtenir une deuxième chance, pour réintégrer la société.*

*Dans la même collection*

**Indésirable**

À son ancienne école, Mélie était désirée par tous les gars et n'avait pas honte de les séduire, d'avoir du plaisir avec eux. Jusqu'à ce qu'une stupide vidéo circule... Ses soi-disant amis n'ont alors pas hésité à l'exclure, à l'insulter, à la considérer comme une pute.

Maintenant, elle a l'intention de repartir à zéro, d'effacer la réputation qu'on lui a collée et de retrouver un semblant de vie normale. Pour cela, elle souhaite d'abord regagner sa popularité.

De son côté, Bastien se fait rejeter et humilier depuis le début de son secondaire. Il a l'impression qu'il ne trouvera jamais sa place et restera l'exclu, le *freak*, l'indésirable. Celui qu'on montre du doigt uniquement parce qu'il n'entre pas dans le moule.

Puis il la rencontre, elle, la nouvelle. Mais comment pourrait-il plaire à ce genre de fille ? Tanné d'être toujours seul, il décide que, cette année, les choses devront changer.

*Le* ***rejet social*** *prend différentes formes et, malheureusement, personne n'est à l'abri. Peu importe la façon dont il se manifeste, il blesse immanquablement ceux qui en sont victimes et laisse des cicatrices douloureuses, parfois indélébiles.*

*Dans la même collection*

**ToxiK**

Comment en suis-je arrivée là ? Comment ai-je pu perdre le contrôle de ma vie à ce point, sans m'en rendre compte ? Tout marchait pourtant très bien pour moi. À l'école, avec ma meilleure amie Élodie, avec ma famille et dans mes cours de danse hip-hop...

J'étais convaincue de ne pas être une « droguée ».

J'ai commencé à consommer seulement pour m'améliorer, dans un contexte bien précis : ma participation à un rap battle. Je le faisais pour les bonnes raisons. Et je savais que je pouvais arrêter n'importe quand. Enfin… c'est ce que je croyais. Jusqu'à ce que les problèmes me tombent dessus. Un à un. Jusqu'à ce que ça aille trop loin...

Il a fallu que tout s'écroule autour de moi pour que je prenne conscience de ce qui m'arrivait.

Pourquoi me suis-je laissé entraîner aussi bas ?

*Au Québec, plus du quart des adolescents déclarent avoir déjà pris de la drogue, du cannabis aux substances plus dures. Si le plaisir est une des raisons souvent évoquées, un nouveau type de consommation s'est répandu au cours des dernières années : la* ***consommation de drogues à des fins de performance****. L'histoire de Kellyann met en lumière un visage différent, mais actuel, de la toxicomanie.*

Hé, toi!
Tu aimes la collection Tabou?
On veut savoir ce qui t'intéresse, les thèmes qui t'interpellent, afin de rendre la collection à TON image.
Viens nous faire part de tes commentaires sur la page Facebook!
facebook.com/collectiontabou

Achevé d'imprimer
sur les presses de
Imprimerie H.L.N.
*Imprimé au Canada - Printed in Canada*